Dio

Boodschap aan alle kinderen:
Jullie hebben nog toegang tot het geheim van het leven.

Mick & Hans Peter Roel

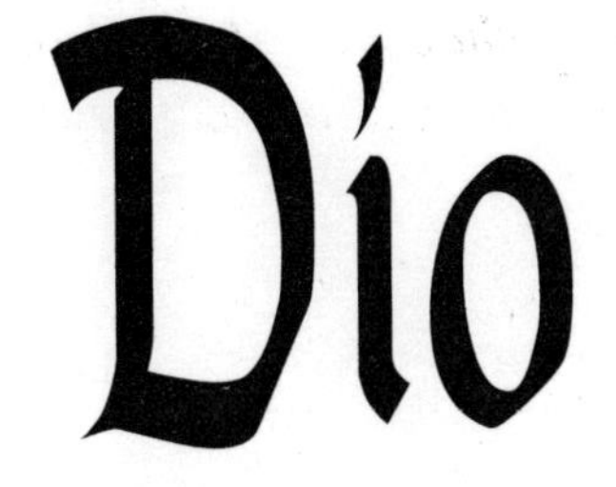

De sleutel van zeven wijsheden

Antwoorden van een kind

Hoi, ik ben Mick en ik ben 10 jaar oud. Ik zit op school in groep 7.

'Mick, zullen we samen een boek schrijven?' vroeg mijn vader vorig jaar.

'Leuk,' riep ik, en toen zijn we begonnen.

Elke avond voordat ik ging slapen stelde papa mij vragen en gaf ik de antwoorden. Het begon heel simpel, met de vragen "Waar speelt het verhaal zich af?" en "Wie zijn de hoofdpersonen?" Maar er waren ook vragen als "Wat zijn de wetten van de wijsheid?" "Waarom is er oorlog?" en "Waar woont het kwaad?"

Dit is een boek over Dio en zijn vriendin Aine. Ze ontdekken een wereld onder de grond. Ze leren in zeven verschillende werelden hoe je goed met elkaar om kunt gaan.

Kinderen en volwassenen die dit boek lezen leren dat het ook anders kan dan ruziemaken en onaardig zijn.

Ik hoop dat iedereen die dit leest de sleutel van de zeven wijsheden gaat toepassen in zijn leven. Gewoon om de wereld een beetje beter te maken.

Vorig jaar zag ik op het Jeugdjournaal een jongetje uit een oorlogsgebied. Door de oorlog miste hij een arm. Dat vond ik erg, vooral omdat wij het hier zo goed hebben. Daarom steunt dit boek War Child. Zij zetten zich in voor kinderen in oorlogsgebieden, die soms zelf al soldaat geweest zijn.

Mick Roel

Vragen van een vader

Vanuit mijn werkkamer keek ik naar mijn kinderen, Mick en Merel, die achter in de tuin op een trampoline aan het springen waren en plezier maakten.

Peinzend achter mijn computer vroeg ik me af: *Wat kunnen wij van kinderen leren in plaats van kinderen van ons?*

Wat zouden Mick en Merel op zo'n jonge leeftijd weten over hoe het leven werkt? Zeker nu we het ze nog niet verteld hebben. Ik besloot het mijn zoon Mick van bijna negen jaar te vragen. Elke avond zaten we samen een uurtje op de rand van zijn bed. Haast zonder na te denken – alsof hij toegang had tot een enorme fantasiebron – kwam dit verhaal er met een ongekende fantasie en wijsheid uit.

Hoe langer ik met Mick sprak, hoe duidelijker het me werd dat dit een bijzonder boek zou worden. Als er een god bestaat, zijn we zeker geholpen.

Stap in dit verhaal en laat je meevoeren om de sleutel van de zeven wijsheden zelf te ontdekken. Het talent om de wereld een beetje mooier maken ligt vooral bij de kinderen.

Hans Peter Roel

Zaterdag

Waar bleef ze nou? Ongeduldig wiebelde Dio van het ene been op het andere en keek opnieuw uit het raam van de achterkamer. Het was nog vroeg in de morgen, maar Aine had er allang moeten zijn. Niets voor haar om zo laat te komen. Dio zuchtte. Hij had een hekel aan wachten. Deze zaterdag helemaal. Hij wilde Aine vertellen van zijn merkwaardige droom van afgelopen nacht.

'Ze komt heus wel,' zei zijn moeder, Marleen. 'Aine heeft je nog nooit in de steek gelaten. Jullie zijn zulke goede vrienden. Dat kan ook niet anders. Als baby hadden jullie al een magische band. Jullie leken helemaal niet op elkaar, jullie waren juist in alles tegenpolen. Jij een jongen; zij een meisje. Jij met rechtovereind staand zwart haar en bruine ogen; zij met fijn blond haar en blauwe ogen.'

'Ik weet het, mam,' zei Dio snel.

Hij had dat verhaal al zo vaak gehoord. Zijn moeder vertelde het graag.

'Jullie waren als zon en maan, maar zo verbonden met elkaar dat de mensen vaak dachten dat jullie een tweeling waren. Soms vielen jullie in de box hand in hand in slaap. Heel bijzonder.'

'Ik weet het, mam,' zei Dio opnieuw. Hij kende het verhaal uit zijn hoofd, maar het was waar. Zo lang hij het zich kon herinneren waren Aine en hij vrienden. Aine woonde bovendien naast hen, waardoor ze elkaar veel konden zien. Waar bleef ze toch? Goede vrienden moesten wel op tijd komen. Dio drukte zijn neus tegen het raam en bleef zo staan tot het glas beslagen was door zijn adem. Ja, eindelijk! Daar was ze.

'Aine, je bent hartstikke laat,' zei Dio. Hij liep met haar naar de serre en ging op de bank zitten. 'Waar was je nou?'

Aine liet zich naast Dio vallen. 'Sorry. Ik moest met mijn moeder iets voorbereiden voor mijn verjaardag.'

'Wat? Vertel,' zei Dio nieuwsgierig.

'Nee... verjaardagsgeheim.'

'Wordt het een beetje een leuk feest?'

'Heel erg leuk, maar meer vertel ik niet.' Aine keek hem stralend aan. In haar blauwe ogen schitterden pretlichtjes.

'Flauw, hoor,' zei Dio, maar hij kon er weinig tegenin brengen. Hij had geen geheimen voor Aine, maar plannen voor zijn eigen verjaardagsfeest zou hij haar ook nooit van tevoren vertellen. 'Dan vertel ik jou ook niets meer.'

'Jammer,' zei Aine.

'Ja, heel jammer, want ik moet je nog van alles zeggen.'

'Je hebt weer een droom gehad,' stelde Aine vast.

Dio knikte. 'Het is telkens dezelfde.' Hij keek Aine ernstig aan. 'Ze hebben onze hulp nodig.'

'Wie zijn ze?'

'De Ibutsi-indianen. Ik droomde vannacht van het opperhoofd van de Ibutsi-indianen. Hij leek zo levensecht dat ik hem haast kon aanraken. Zeven haviksveren droeg hij in zijn tooi. Zijn gezicht was helemaal doorgroefd, door de zon en de ouderdom. Zijn lichaam was gespierd en hij droeg een speer. Hij was op zoek naar mij.'

'Was het dezelfde indiaan als in de vorige dromen?' vroeg Aine.

'Precies dezelfde, maar nu praatte hij ook met me. Hij vroeg of ik Dio was en of ik op 9 september 1997 was geboren tijdens de zonsverduistering. Hoe kan hij dat weten, Aine? Je kent toch dat verhaal van mijn moeder, dat een bliksemflits uit de hemel haar trof op het moment dat de maan de zon verduisterde, en dat ik vlak daarna geboren werd?'

Aine knikte. Haar blonde vlechten bewogen langs haar hoofd. 'Ze vertelt het elke keer als jij je verjaardag viert.'

'Precies! En ze vertelt het niet alleen aan jou, maar aan iedereen die het horen wil. Maar hoe kan die indiaan dat nu weten? Volgens het opperhoofd in mijn droom zijn kinderen die tijdens een zonsverduistering geboren worden magisch. Zonsverduisteringkinderen, zei hij, groeien op om de strijd tussen goed en kwaad aan te voeren en de wereld te verlossen van het kwaad.'

Aine schoot in de lach. 'Dio, strijder tegen het kwaad. Zoiets kan alleen jij verzinnen. Je hebt te veel tekenfilms gekeken.'

'Net zoveel als jij,' zei Dio. 'Het opperhoofd zei dat ik niet zomaar was geboren, maar dat er een zware taak op mijn schouders rustte. Toen begon hij over jou.'

'Over mij? Ik geloof er niets van, Dio.'

'Echt waar! Hij vroeg of ik een Aine kende en hij zei dat ik met haar naar de ijskelder moest gaan.'

'Onze ijskelder, in het park?'

'Ja, wij kennen toch geen andere ijskelder? Die moet het dus wel zijn. Het opperhoofd zei dat ons onder de grond van de ijskelder een belangrijke taak wacht. Dat alleen wij het Rijk van Wijsheid kunnen redden, en dat we precies zeven dagen hebben om onze taak uit te voeren. We moeten er dus snel heen.'

'Vergeet het maar, Dio! Ik ga daar dus echt niet heen. Het is maar een droom.'

'Aine, alsjeblieft! Die indiaan klonk echt wanhopig. Ik geloof hem. Ga nou mee naar de ijskelder, alsjeblieft, we moeten de wereld redden.'

'Ik weet het niet, hoor. Jij hebt altijd van die vreemde fantasieën. Als het geen monnik is, dan is het Einstein wel, of je droomt over een oude Ibutsi-indiaan.'

'Ik weet het, maar dit is echt belangrijk. We mogen geen tijd verliezen. Toe nou, ga met me mee,' smeekte Dio.

Aine gooide haar vlechten in haar nek. 'Oké, ik ga mee. Maar als er niks te vinden is, gaan we naar huis.'

'Beloofd,' zei Dio en hij sprong op van de bank. 'Mam, we gaan even naar het park.'

'Blijf je niet te lang weg? Heb je je ketting om?' vroeg Dio's moeder.

Dio gaf geen antwoord. Hij was al met Aine naar buiten gehold. Vlug pakte hij twee scheppen en een paar zaklantaarns uit de schuur. Terwijl ze de straat op liepen, gaf hij een schep en een lantaarn aan Aine.

'Mijn moeder vraagt ook altijd of ik mijn ketting om heb. Je weet wel, die met die gouden ring eraan. Stom is dat,' zei Aine.

Dio lachte. 'Dat hebben ze vast samen afgesproken. Onze moeders geloven dat die kettingen ons beschermen tegen de kwade geesten. Ik ben een keer heel ziek geworden toen ik mijn ketting een poos niet droeg en sindsdien zweert mijn moeder erbij.' Hij liet zijn hand even langs de ketting glijden en haalde toen zijn schouders op. 'Nou ja, ik vind het best.'

'Ik ook,' zei Aine. 'Die ring aan mijn ketting is van mijn oma geweest. Je weet wel, de oma die ik nooit heb gekend. Ze is gestorven op de dag dat ik werd geboren. Het is iets Keltisch of zo, maar verder weet ik er niets van.'

Zwijgend liepen ze door het park, langs de vijver en voorbij de speeltuin, tot ze bij een heuvel kwamen. Vroeger was hier in de heuvel een ijskelder uitgegraven. 's Winters werd de schacht in de ijskelder volgegooid met ijs, zodat de ruimte in de zomers koel bleef. Het was een soort natuurlijke ijskast. De toegang tot de kelder was afgesloten met een groot ijzeren traliehek met een zware ketting als slot. De tralies stonden zo ver uiteen dat Dio en Aine er net tussendoor konden glippen.

'Ga jij maar eerst,' zei Aine. 'Ik heb een raar gevoel nu ik hier voor het hek sta. Ik weet wel dat we al duizend keer tussen die tralies door gekropen zijn, maar nu is het anders. Dat komt natuurlijk door die rare dromen van jou.'

'Ik zie anders niks vreemds,' zei Dio en hij gooide zijn schep achter het hek en wurmde zich tussen de tralies door. Aine kwam meteen achter hem aan.

'En nu? Wat gaan we nu doen?' vroeg ze toen ze aan de andere kant van het hek stonden.

'Graven. We gaan net zo lang door tot we het Rijk van Wijsheid hebben gevonden,' antwoordde Dio. 'Het moet hier zijn.'

Midden in de ijskelder schepten ze het zwarte zand weg. Ze groeven tien minuten aan één stuk door, zonder ook maar iets te vinden. Met rode hoofden leunden ze tegen het hekwerk om even op adem te komen.

'Zie je wel. Het was ook maar een droom,' zei Aine. 'Zullen we naar huis gaan? Ik heb eigenlijk wel zin in een spelletje op de Game Cube.'

'Toe, nog even,' smeekte Dio. 'Zo lang zijn we toch nog niet bezig. Laten we nog even zoeken naar die onbekende wereld. Ik wil het opperhoofd niet in de steek laten.'

Aine knikte. 'Oké, tot elf uur. Dan stoppen we.'

Ze groeven verder, maar er gebeurde niets.

'Elf uur!' Aine gooide haar schep neer.

'Goed,' zei Dio. Hij stak zijn schep nog één keer in de grond en stuitte op iets hards.

'Yes... ik heb iets gevonden!' riep hij triomfantelijk. Gespannen werkten ze samen meer zand weg. Er kwam een stuk van een roestig luik tevoorschijn.

'Dus toch! Die droom was echt!' riep Dio.

Aine leunde sip op haar schep. Ze wilde niet meer verder graven. Wie weet waar ze terecht zouden komen als ze dat luik zouden openen. Misschien zaten er wel spinnen. 'Dio, we moeten nu echt naar huis. We zouden niet te lang weg blijven, weet je nog.'

Maar Dio luisterde niet. 'Dit is geen toeval. We moeten het Rijk van Wijsheid redden. Jij wilt toch ook weten wat er onder dit luik zit?'

Aine aarzelde, maar toen won haar nieuwsgierigheid het van haar angst. Het luik openen kon vast geen kwaad. Ze pakte haar schep en hielp Dio het laatste zand te verwijderen. Een paar minuten later lag het doorgeroeste luik helemaal bloot.

'Ik heb nog nooit een dergelijk luik gezien. Het lijkt wel honderden jaren oud,' mompelde Dio. Vreemd dat het in al die jaren nooit ontdekt is. Zonder die droom was het mij ook niet gelukt.'

'Durf jij het open te maken?' vroeg Aine. Haar vertrouwde glimlach was door de spanning verdwenen. 'Misschien moeten we eerst onze moeders erbij halen,' stelde ze voor.

'Echt niet, Aine, dan moeten we het gat dichtgooien en dan zullen we nooit weten of er echt een Rijk van Wijsheid bestaat. 'Natuurlijk durf ik dat,' antwoordde Dio. 'Ik wil weten of er echt een Rijk van Wijsheid bestaat.'

Net op dat moment kwam er door het park een groep jongens aan.

'Plat tegen de wand,' waarschuwde Dio.

In de ijskamer zat een kleine nis waar het zo donker was dat je er van buiten niets in kon zien. Daardoor konden de jongens Aine en Dio niet zien. De jongens riepen iets tegen elkaar en rammelden aan de tralies. Snel gaven ze hun poging om binnen te komen op en hun stemmen verdwenen in de verte. Dio en Aine kwamen weer tevoorschijn.

'Ik probeer het luik open te krijgen.'

'Ik vind het eng. Ik wil naar huis,' zei Aine.

'Als het luik open is, gaan we naar huis, goed?'

Weifelend keek Aine toe hoe Dio aan de ijzeren ring van het luik rukte.

Het luik ging heel gemakkelijk open, alsof Dio door een onzichtbare kracht werd geholpen. Met zijn zaklantaarn scheen hij in het zwarte gat, maar het was te donker om iets te onderscheiden. Aan een van de zijkanten van het gat waren de eerste treden te zien van een ijzeren wandtrap die naar de donkere diepte voerde. Twijfelend keek Dio naar beneden. Hij was bang en tegelijkertijd voelde hij een onbedwingbare nieuwsgierigheid.

'Durf jij?'

'Nee, ik ga niet, hoor,' zei Aine met een zenuwachtig lachje. 'Misschien zitten er wel spoken.'

'Doe niet zo stom. Ik ga voorop, dan kan je niets gebeuren. Ik ben bij je.'

Aine grinnikte. 'Nou, je ziet er niet bepaald uit als Superman die mij gaat beschermen.'

Dio keek haar met een vernietigende blik aan.

Aine schoot in de lach en gaf haar verzet op. Wie mocht er nu een kijkje nemen in het Rijk van Wijsheid? Die kans zou ze geen tweede keer krijgen... 'Oké, jij eerst,' zei ze.

Voorzichtig daalden ze langs de ijzeren wandtrap af in het donkere gat.

Het was er klam en er hing een angstaanjagende stilte. Het zwakke licht van de zaklampen richtte niets uit in deze diepe duisternis.

Dio stopte na een poos en pakte met zijn rechterhand de stervormige gouden ketting die om zijn hals hing beet. Help me, ketting, en breng me geluk...

'Zullen we teruggaan?' vroeg Aine.

Maar Dio voelde net grond onder zijn voeten.

'Ik ben er, Aine, laten we eerst kijken of er iets te vinden is. Daarna gaan we terug.'

Aine stapte van de wandtrap af. Op het moment dat Dio en Aine alle twee vaste grond onder de voeten hadden, gebeurde er iets wat hun leven voorgoed zou veranderen. In ons bestaan is er soms maar één moment nodig om een totaal ander leven te krijgen. Een toevallige ontmoeting bijvoorbeeld kan alles voorgoed veranderen. Zo'n mystiek moment beleefden Dio en Aine daar beneden, diep onder de ijskelder.

Net voor ze weer naar boven wilden klauteren, viel met een enorme klap het luik boven hen dicht. De klap galmde lang na in de kille ruimte. Aine en Dio klemden zich van schrik aan elkaar vast.

'Wat was dat?' vroeg Dio met een schorre keel.

Het was nu aardedonker om hen heen. Met het licht van hun zaklampen verlichtten ze hun eigen schaduw op de wand.

'Ik-ik-ik,' stotterde Aine, die niet meer uit haar woorden kon komen. Ze begon te schelden. 'Jij ook altijd, met je stomme ideeën. Ik wil eruit, Dio. Maak dat luik open.'

'We gaan naar boven,' zei Dio, die het ook flink benauwd kreeg.

'Jullie gaan helemaal nergens heen,' galmde een zware stem. 'Ha ha ha. Ik heb jullie eindelijk te pakken.'

Van schrik vergat Dio te ademen en Aine kneep haar ogen zo hard dicht dat ze pijn deden.

'Hier heb ik jaren op gewacht, Dio. Nu je hier bent, laat ik je nooit meer gaan. Je bent in mijn macht. De helse macht van het kwaad.'

'Hoe weet u mijn naam?' vroeg Dio. Hij probeerde te zien wie er tegen hem sprak, maar daar was het te donker voor. Hij hoorde alleen die gemene, zware stem.

'Ik ken jou al vanaf je babytijd, Dio. Drie witte duiven hebben je komst verraden.'

'Duiven? Bedoelt u die duiven voor mijn raam?

Sinds Dio's geboorte zaten er elke ochtend drie witte duiven op de vensterbank voor het raam van Dio's kamer, alsof het bewakers waren. Als de gordijnen opengingen keken de duiven zoekend naar binnen, alsof ze een glimp van Dio wilde opvangen. Zodra ze hem gezien hadden, vlogen ze weg en de volgende ochtend waren ze er weer. Dat was al jaren zo.

Koortsachtig dacht Dio na. Hij moest zijn hoofd koel houden. Haast onbewust greep hij met zijn rechterhand naar zijn hals en pakte zijn beschermketting met de amulet stevig vast. 'Wie bent u?' vroeg hij met bevende stem.

'Ze noemen me Azazel, heerser over het Rijk van de Dolende Geesten.'

Dio slikte zijn angst weg. 'Wat is dat voor een rijk?'

'Het rijk van hel en verdoemenis,' klonk het dreigend uit het donker. 'Ja, Dio, je hoort het goed. Hel en verdoemenis! Iedereen die slecht en hebzuchtig is geweest toen hij leefde, komt in mijn rijk.'

'Is dat hier, het Rijk van de Dolende Geesten?' vroeg Dio.

Azazel lachte luid. 'Nee, dit is het Rijk van Wijsheid. Maar weldra zal alles hier van mij zijn. Mijn rijk bevindt zich aan de overkant van deze grot. Daar zitten de mensen die op aarde een slecht en hebzuchtig leven hebben geleid. Ze zijn veroordeeld om na hun dood voor eeuwig voort te leven als dolende geest, oftewel een Spock. Alle Spocks samen vormen mijn persoonlijke leger. Door de toenemende hebzucht op aarde stroomt mijn rijk steeds sneller vol en ik sta op het punt om het kwaad voor eeuwig te laten zegevieren. Ha ha ha,' Azazels holle lach bulderde door het donker. 'Uiteindelijk zal het kwaad door al die hebzuchtige mensen op aarde toch overwinnen. Over exact zeven dagen en zeven uur is het zover. Dan zal mijn leger van Spocks het Rijk van Wijsheid innemen. Het Rijk van de Levende Geesten, oftewel de aarde en de rest van het universum. Ik ben geboren om te overwinnen, horen jullie me? Het kwaad overwint altijd.'

Azazels gezicht kwam dichterbij. 'Herken je me echt niet, Dio?' vroeg hij.

Dio schudde zijn hoofd. Hij had dat grauwe, smalle gezicht met de donkere, holle ogen nog nooit gezien.

'Jou herken ik wel; ik heb je al zo vaak gadegeslagen.'

Dio huiverde. Hij was blij dat hij dat nooit geweten had. In het donker zocht hij Aine's hand en hield die vast. Daar werd hij rustiger van.

'Luister,' zei Azazel. 'Tot 1997 had ik alles onder controle. Mijn rijk bloeide met al die hebzucht, misdaad en oorlog op aarde. Toen werd jij tot mijn grote schrik geboren en dreigde alles te veranderen. Jouw leven is bedoeld om de zeven verborgen magische wetten van de wijsheid te ontdekken en deze te gaan vertellen aan de mensen op aarde oftewel het Rijk van de Levende Geesten. Door deze wetten zullen de mensen liefdevoller met elkaar omgaan. Hebzucht en egoïsme verdwijnen. En dan komen er dus geen nieuwe dolende geesten meer naar mijn rijk.

Dat moest ik natuurlijk voorkomen en daarom vatte ik het plan op om je te vermoorden. Dat leek een simpele klus voor mij. Helaas kreeg jij direct bij je geboorte de Bhutaanse beschermketting omgehangen, die mij, Azazel, op afstand hield. Slechts één keer kon ik toeslaan en je ziek maken, toen je de ketting een tijdje had afgedaan. Je moeder heeft je toen helaas op het laatste moment gered door je de ketting weer om te doen.

Hoe je hier bent gekomen, weet ik niet precies. Als je het Rijk van Wijsheid denkt te kunnen redden, ben je in ieder geval te laat.'

Azazel was merkbaar in zijn nopjes. 'Ach, ik kan het je nu wel vertellen. Als jij niet voor 7 juli 2007 de wetten van de wijsheid en het daarbij behorende PENTIUM vindt, zal ik met al mijn kwaad zegevieren. Die wetten zijn zo goed verstopt dat zelfs een wonderkind als jij het wel kan vergeten. Die vind je nooit. Over zeven dagen en zeven uur zullen mijn Spocks het Rijk van Wijsheid bezetten. Jullie zullen dan tot in de eeuwigheid als dolende geesten in mijn macht blijven. Dan is het me ondanks de nodige tegenslag toch gelukt.'

Dio huiverde. Hij wilde dat Azazel zijn mond hield, maar die ging maar door.

'En als jullie de wetten toch vinden, dan zorg ik er wel voor dat jullie de aarde boven de grond nooit meer zullen zien. De toegangspoort tot deze grot wordt bewaakt door de geest van graaf Roel von Steinenkraut. Het gat dat jullie hebben gegraven heeft hij alweer dichtgeschept en keurig aangeharkt. Niemand, maar dan ook niemand zal jullie hier ooit nog kunnen vinden.'

Er waaide een koude luchtstroom door de grot en het volgende ogenblik was Azazel verdwenen. Aine en Dio hoorden een grote stalen deur in het slot vallen. Nu waren ze definitief afgesloten van hun eigen wereld.

In het zwakke schijnsel van de zaklamp ging Aine zwijgend op een kei zitten. Voor de eeuwigheid opgesloten in het Rijk van de Dolende Geesten, dat was te erg om over na te denken.

'Jij ook altijd met je dromen, Dio. Kijk eens wat ervan komt. Nu kom ik nooit meer thuis.'

'Het spijt me, Aine,' zei Dio.

Aine zuchtte. Ze had nooit naar hem moeten luisteren. Haar moeder zou zo ongerust zijn. Het ergste was dat ze woensdag jarig zou zijn. Wie moest nu de verjaardagskaarsjes uitblazen?

Dio leunde tegen de klamme wand van de grot en dacht diep na. Er was niets aan de hand. Dit was gewoon een nare droom. Zo dadelijk ging die stalen deur open en dan zouden Aine en hij gewoon naar buiten lopen. Thuis zouden ze nagenieten van het spannende avontuur.

Met zijn zaklantaarn bescheen Dio de stalen deur. Hij duwde er met zijn volle gewicht tegenaan, maar er was geen beweging in te krijgen.

Voor altijd opgesloten in het Rijk van de Dolende Geesten, dreunde het door Dio's hoofd. Dat nooit! Koortsachtig overwoog hij hoe ze hier weg konden komen, maar een oplossing zag hij niet. Er zat maar één ding op: ze moesten binnen zeven dagen en zeven uur de wetten van de wijsheid en het PENTIUM zien te achterhalen. Azazel beweerde wel dat het onmogelijk was, maar ze moesten het toch maar proberen. Het was hun enige kans. Maar waar moesten ze beginnen?

Wanhopig sloeg Dio met zijn vuist op de deur. Precies op dat moment gilde Aine als een kat in het nauw en kneep ze hem zo hard in zijn arm dat Dio niet meer wist wat er meer pijn deed: zijn vuist of zijn arm.

'Een geest, ik zie een geest,' schreeuwde Aine.

In de hoek lichtte een blauwwitte geest op, die boven de grond leek te zweven. Zijn gezicht was als een dodenmasker, waarin alle beenderen achter een wit waas te zien waren.

Voor het eerst was Dio nu echt bang. Aine sloeg haar handen voor haar gezicht. Het werd haar echt te veel. Ze haatte horrorfilms en nu zat ze er middenin.

De geest zweefde naar Dio en Aine toe en sprak met een blikkerige stem: 'Niet bang zijn. Ik heb lang op jullie gewacht en ben gekomen om jullie te helpen. Zonder mijn hulp redden jullie het niet om de wetten van de wijsheid en het PENTIUM bijtijds te vinden.'

De geest lachte even. 'En met mijn hulp waarschijnlijk ook niet. Maar het is het proberen waard. Ik gun Azazel zijn overwinning niet.'

Dio overwon als eerste zijn angst. Deze geest klonk niet gemeen en hij was tegen Azazel. Ze konden alle hulp gebruiken die ze konden krijgen.

'Wie bent u?' vroeg hij bedeesd.

'Ik ben kardinaal Gregorius en ik woon al sinds het jaar 1378 in een prachtige kathedraal in het Rijk van Wijsheid.'

Het bleef even stil.

'Wat is het Rijk van Wijsheid?' vroeg Dio. 'Ik heb erover gedroomd, maar ik wist niet dat het zo gevaarlijk zou zijn.'

'Jullie kunnen het rijk zien als jullie deze grot verlaten. Het is hier pas gevaarlijk geworden sinds Azazel zijn macht hier wil vestigen.'

'Waarom woont u er?' vroeg Dio, die zijn angst voor deze geest nu wel had overwonnen.

'Dat is niet zomaar verteld. Hebben jullie even?'

'We hebben alle tijd. We komen hier toch nooit meer onder de grond vandaan,' zei Aine, die haar stem had teruggevonden.

'Goed,' zei kardinaal Gregorius. 'Ik neem jullie mee naar het jaar 1377, toen ik zitting had in het consilium in Rome.'

'Consilium? Wat is dat?' vroeg Aine.

'Dat is een bijzondere vergadering in de katholieke kerk. Alle kardinalen uit de hele wereld komen ernaartoe en dan kiezen ze een nieuwe paus. Voor mij was het de belangrijkste vergadering van mijn leven, dat van kinds af aan in het teken had gestaan dat ik zelf ooit paus zou kunnen worden. In mijn onschuld had ik gedacht dat ik een grote kans maakte om als paus te worden ingezegend.

Tijdens de vergadering leek de keuze op een andere kardinaal gevallen te zijn. Ik zag mijn pausendroom in duigen vallen en wist niet meer wat ik moest doen.

De laatste avond voordat de kardinalen de nieuwe paus zouden kiezen, kwam er een man in een zwarte cape mijn slaapkamer in het Vaticaan binnen geslopen. Ik schrok, maar hij gebaarde dat ik stil moest zijn. De mysterieuze indringer reikte me een flesje aan. Later bleek daar het giftige arsenicum in te zitten. 'Kardinaal Gregorius, u weet waarvoor dit drankje dient. Een paar druppels kunnen geen kwaad. Het slachtoffer krijgt alleen erge buikpijn.' En met die woorden verdween de man met de cape weer in de stille nacht.

In mijn ultieme streven om paus te worden kon ik de verleiding niet weerstaan. De volgende ochtend heb ik bij de uitverkoren kardinaal een paar druppels arsenicum in zijn drinkbeker gedaan, zodat hij ziek zou worden en niet op het beslissende consilium zou kunnen verschijnen.

Later die dag bleek dat de ongelukkige kardinaal voor de eeuwigheid ingeslapen was.

Gelukkig vermoedde niemand dat er moord in het spel was. Ondanks mijn misdadig ingrijpen werd een andere kardinaal als paus Johannes XI ingezegend. Mijn krankzinnige plan was helemaal vergeefs geweest. Azazel lachte in zijn vuistje. Hij was degene die mij het gif had gebracht.

Ik kon mijn wandaad niet vergeten. De rest van mijn leven heb ik me ingezet om arme weeskinderen bij te staan en op te vangen in mijn kathedraal. Alleen daardoor werd ik geen Spock, maar kreeg ik na mijn dood een prachtige gotische kerk in het Rijk van Wijsheid toebedeeld.'

Tijdens het verhaal van kardinaal Gregorius had Dio ongeduldig op een moment gewacht om iets te kunnen vragen. Nu zag hij zijn kans schoon. 'Dus daarom zit u hier in het Rijk van Wijsheid. Weet u misschien waar de wetten van de wijsheid zijn?'

'Die hebben we nodig,' vulde Aine aan. 'We willen hier namelijk zo snel mogelijk weg.'

'Klopt als een zwerende vinger,' zuchtte kardinaal Gregorius. 'Het opsporen van de wetten is zo ontzettend moeilijk dat alleen een heel bijzonder iemand die zware taak kan volbrengen. Vandaar dat jij hiernaartoe bent gelokt, Dio, en de tijd dringt. Als de wetten niet snel worden gevonden, zal Azazel overwinnen en zal ook ik als Spock eindigen. Ik heb bijna zeven eeuwen Spocks gezien en zelf wil ik er absoluut geen worden.

Toen ik Azazel net hoorde lachen, wist ik dat mijn tijd gekomen was om jullie te helpen. Jullie zijn hier niet toevallig terechtgekomen, weet je. Door de eeuwen heen en uit miljoenen kinderen op aarde zijn jullie uitverkoren om de strijd aan te gaan.

Met mijn hulp hebben jullie een kleine kans om de poort met het PENTIUM te openen.'

'Wat is dat PENTIUM voor iets?' vroeg Dio.

'Het is een soort amulet, waarmee de stalen deur die de trap naar de bewoonde wereld afsluit, kan worden geopend. Ik heb ontdekt dat jullie het PENTIUM slechts op één manier in je bezit kunnen krijgen.'

'Hoe dan?' vroeg Dio gretig, Hij wilde alles doen om hier maar weg te komen.

'Dit ondergrondse rijk bestaat uit zeven voor jullie onbekende werelden. Elk van die werelden herbergt één magische wet van de wijsheid. Het PENTIUM zullen jullie pas in je bezit krijgen als jullie deze zeven werelden bezoeken en in elke wereld de wet van de wijsheid van die wereld achterhalen. De gouden tempel met het PENTIUM kan alleen worden geopend door een geheime formule en het hardop lezen van de zeven wetten van de wijsheid.'

"Hoe weet u dat allemaal, kardinaal Gregorius?' vroeg Aine.

'Ik heb er ooit twee wijze mannen over horen praten in een van de onbekende werelden die jullie gaan bezoeken. Ook op aarde zoeken de mensen al eeuwenlang naar de wetten van de wijsheid. Ze willen weten wat het doel van het leven is en of er meer is dan we nu kunnen zien. Om die vragen te beantwoorden hebben talloze mensen hun leven in het klooster doorgebracht of aan een geloof gegeven, en zo zijn er allerlei godsdiensten ontstaan. Tot nu toe is het leven één groot mysterie gebleven.

Wat is het doel van je leven? En waarom gebeuren de dingen zoals ze gebeuren? Niemand heeft een goed antwoord kunnen vinden op deze twee simpele vragen.

Hoe komt dat? Waarom kan niemand op aarde de werkelijke sleutel vinden voor de reden van ons bestaan?'

'We zoeken op de verkeerde plaats,' merkte Aine als grapje op.

'Hoe weet jij dat, meisje?' Verbaasd keek kardinaal Gregorius naar Aine. 'Heel slim van je. Het klopt namelijk.' De kardinaal kwam wat dichterbij gezweefd. 'De mensen zoeken al duizenden jaren op de verkeerde plaats naar de wetten van de wijsheid. Iedereen kijkt omhoog, naar de hemel, terwijl de wetten van het leven en de wijsheid hier verborgen liggen: onder de grond. En als je boven zoekt, terwijl het beneden te vinden is, lukt het je dus nooit de wetten van de wijsheid te vinden.

Het is het meest geniale wat Azazel ooit heeft gedaan. Hij heeft de wetten van het goede en de wijsheid op een plek verstopt waar niemand ze zoekt! Ronduit geniaal, zeg ik jullie. Ja, Azazel is aan de winnende hand. En de tijd dringt. Als de wetten en het PENTIUM niet binnen zeven dagen worden gevonden, zullen hij en het kwaad voor altijd overwinnen. Op aarde zullen de mensen nog hebzuchtiger worden en ze gaan elkaar nog meer haten. De misdaadcijfers zullen exploderen, er komen nog meer en nog wredere oorlogen en de toekomstige generatie zal niets meer weten van liefde.'

Kardinaal Gregorius leunde achterover om over zijn eigen woorden na te denken.

'Hoe ziet die amulet eruit?' vroeg Dio vol ongeduld. Als hij de stalen deur naar boven moest openen met een amulet, dan was het wel zo handig om te weten hoe die eruitzag.

'Het PENTIUM is een gouden vijfhoek die aan de binnenzijde is omsloten door een gouden ring.'

'Zoiets als dit?' vroeg Dio en hij liet de kardinaal de amulet aan zijn ketting zien.

'Ja, zoiets. Hier ontbreekt alleen nog de gouden ring die de vijf punten vanbinnen met elkaar verbindt.' Kardinaal Gregorius vouwde zijn handen en dacht na. `Ik zie het als mijn taak om jullie waar nodig te helpen met het vinden van de zeven wetten van de wijsheid en het PENTIUM. Daarom geef ik jullie dit heilige kristallen kruis. Draag het dicht bij je. Zodra jullie het kruis schuin omhoog steken, zal ik direct verschijnen en zal ik jullie proberen te helpen. Maar let goed op: er zijn nu al vele helpers van Azazel in het Rijk van Wijsheid. Ze heten Spocks en stinken naar een verstopt riool. Pas op voor hen. In de werelden zelf zijn jullie veilig, maar daarbuiten zijn jullie vogelvrij voor hen. Als ze jullie pink weten te breken, ben je er voor de eeuwigheid geweest.

De eerste wereld, waar jullie de eerste wet van de wijsheid kunnen vinden, bevindt zich in het centrum van het Rijk van Wijsheid.'

'Hoe weten we waar het centrum ligt?' vroeg Dio.

'Slimme vraag, mijn jongen. Het centrum is de warmste plaats van het Rijk van Wijsheid. Hoe warmer het wordt, hoe dichter jullie bij het centrum komen.'

Toen verdween de geest van kardinaal Gregorius net zo snel als hij gekomen was.

'Hij is aardiger dan hij eruitziet,' zei Aine. Ze pakte Dio bij zijn arm en wees naar rechts. 'Kijk, daar is daglicht. Op naar de warmte! Aan de slag. Ik wil zo snel mogelijk naar huis.' Haar ergste boosheid was verdwenen. Sterker nog, het leek wel of ze het avontuur leuk begon te vinden.

Aan het eind van de grot raakten witte zonnestralen de grond. Dio en Aine liepen op het licht af en zagen tot hun verbazing dat de grot uitkwam in een oneindig groot bos. Tot zo ver ze konden kijken stonden er hoge naaldbomen. Het rook er fantastisch naar vers mos en hars, en er stond een frisse wind.

Er was maar één pad, dat van de grot wegliep. Dio en Aine liepen naast elkaar. Aine kneep Dio in zijn bovenarm.

'Ik ben zo benieuwd waar we uitkomen.'

Langzaam werd het uitbundige bos schraler en kaler. De temperatuur steeg en Dio bond zijn jack om zijn middel. Elk halfuur werd de omgeving kaler en warmer, totdat het bos overging in een steppeachtig landschap.

'Ik heb het warm en ik heb dorst,' klaagde Aine.

'We lopen in ieder geval wel in de richting van het centrum, we zijn op de goede weg,' zei Dio, terwijl hij het zweet van zijn voorhoofd veegde.

De steppe veranderde onder de toenemende hitte in een snikhete woestijn. Zo ver ze konden kijken zagen ze gele, van de warmte trillende zandvlakten. Het was nu zo heet dat ze dicht in de buurt van het centrum moesten zijn.

'Dan zou hier ergens die wereld moeten zijn waar kardinaal Gregorius het over had,' zuchtte Aine. 'Ik hoop dat we hem snel vinden.'

Ze sloften verder, achter elkaar, over de eindeloze zandvlakte.

Het was inmiddels snikheet. Dio's tong voelde als een zemen lap in zijn mond en zijn zwarte haar plakte op zijn voorhoofd. Elke zandheuvel die ze hijgend beklommen liet weer nieuwe, eindeloze vlakten zien met fijn, gloeiend heet, geel zand. De hitte temperde hun enthousiasme aanzienlijk.

Juist toen Aine het van de dorst en de vermoeidheid wilde opgeven zagen ze in de verte een drietal groene palmbomen staan. Zou dat de eerste wereld zijn in het Rijk van Wijsheid?

Toen ze dichterbij kwamen, zagen ze dat de palmbomen midden op een groene grasvlakte stonden, een grasvlakte die zo groot was als een half voetbalveld. Naast de bomen borrelde een waterbron. Dio en Aine knielden bij de bron en dronken zoveel ze konden van het heldere, koele water. Ze gingen zitten tegen een van de palmbomen, om uit te rusten. Dio zag een grote bruine kokosnoot liggen. Vast uit de boom gevallen.

Hij pakte een platte steen en sloeg de kokosnoot in één klap open. Hij nam een slok van de zoete kokosmelk en gaf de kokos aan Aine.

'We zijn net inboorlingen,' zei Aine.

'Ik vraag me af of dit de eerste wereld is in het Rijk van Wijsheid,' zei Dio.

'Nou, ik ben bang van niet,' zei Aine. 'Er is niets te zien. Het wordt tijd voor een verkenningstocht.'

Ze liepen rond in de oase.

'Zie je dat daar?' vroeg Dio. Hij wees in de verte.

Ver weg in de van de hitte trillende lucht zagen ze de contouren van een piramide. Het kon niet anders of dát moest de eerste wereld in het Rijk van Wijsheid zijn.

'Een Zonnetempel,' zei Aine enthousiast. 'Koningin Cleopatra meldt zich!'

Met het einddoel in zicht liepen Aine en Dio met nieuwe energie door het mulle zand. Eindelijk bereikten ze het centrum van het Rijk van Wijsheid. Van zo dichtbij was de piramide kolossaal en indrukwekkend. Om hen heen was alles stil.

Ze liepen om de piramide heen totdat ze de ingang gevonden hadden. Dio haalde zijn zaklantaarn tevoorschijn.

'Laten we naar binnen gaan. Als de wet van de wijsheid ergens te vinden is, dan is het binnen.'

Bijgelicht door de zaklantaarn liepen ze naar binnen. Het was er donker en koel en voorzichtig schuifelden Dio en Aine de hoek om.

De lantaarn flikkerde even en hield er toen mee op. Ineens was het aardedonker om hen heen. In de verte klonk het onheilspellende gegrom van een wild dier.

'Wat doen we nu?' vroeg Dio met een lichte paniek in zijn stem.

'We vragen kardinaal Gregorius om hulp,' antwoordde Aine.

Dio stak het kristallen kruis in het donker schuin omhoog, maar er gebeurde niets.

'Waar blijft hij nou?' zei Aine. 'Misschien moet je het kruis anders vasthouden, Dio.'

Dio draaide het kruis, maar er gebeurde nog steeds niets. In de piramide klonk alleen het gegrom van een wild beest. Aine huiverde. Er stond kippenvel op haar armen.

'Gregorius, kardinaal Gregorius,' riep Aine.

Eindelijk verscheen de blauwwitte geest.

'Waar bleef u nou? We hebben uw hulp nodig.'

'Sorry, ik deed een middagdutje,' verontschuldigde de kardinaal zich. 'Maar nu ik hier toch ben... hoe kan ik jullie helpen?'

'Wat moeten we doen?' vroeg Dio. 'Hoe vinden we hier de weg?'

'Ja,' zei Aine. 'En ik zou wel eens willen weten hoe we iets kunnen doen, terwijl een of ander wild beest het op ons gemunt heeft.'

'Ik hoor het al,' zei kardinaal Gregorius. 'Jullie hebben kennisgemaakt met de sfinx.'

'De sfinx?' vroeg Aine. 'Wat is dat nu weer?'

'Dat is een levensgroot, katachtig roofdier, dat jullie zonder pardon zal verscheuren en doden. Om de hoek bij de ingang hangen twee fakkels en twee vuurstenen. Deze fakkels branden maximaal een halfuur. De sfinx is bang voor vuur en zal zolang de fakkels blijven branden bij jullie uit de buurt blijven. Jullie hebben dus een halfuur de tijd om in de doolhof van deze piramide de koningskamer te vinden. In de koningskamer hebben alle farao's zitting die in het oude Egypte geheerst hebben. En daar is de eerste wet verborgen.'

'En als we die kamer niet op tijd kunnen vinden?'

'Dan zij God met jullie,' zei kardinaal Gregorius vroom. 'Dan is de opdracht mislukt en zal de Sfinx jullie vinden en verscheuren. En dan zal Azazel over zeven dagen de macht overnemen.' Kardinaal Gregorius trok een vies gezicht. 'Het allerergste is dat ik dan in zo´n smerige stinkende Spock verander.'

'Nou ja,' zei Dio dapper. 'Op naar de koningskamer. Er zit niets anders op.'

'Ik heb nog één belangrijke aanwijzing die jullie goed van pas zal komen,' zei de kardinaal. 'Denk als de bouwers van de piramide en doe dat vooral bij de kruispunten in de doolhof. De oude Egyptenaren hebben deze piramide zo ontworpen dat de koningskamer haast onvindbaar is.'

Het volgende moment was de geest verdwenen.

Dio en Aine liepen op de tast naar de fakkels. Ze staken ze met de vuurstenen aan en gingen op pad.

Al snel bereikten ze een kruispunt waar de gang zich in drie richtingen splitste.

'Hoe pakken we dit aan, Aine?'

'We moeten denken zoals de bouwers van de piramide dat deden.'

'We kiezen een gang en leggen een voorwerp op het pad,' opperde Aine.

'Slim,' zei Dio.

Hij haalde een lege batterij uit zijn zaklantaarn en legde die in de eerste gang. Daarna liepen ze de gang in. In de verte hoorden ze de sfinx grommend dichterbij komen. Bij de volgende splitsing zagen ze tot hun afschuw de batterij op de grond liggen.

'Hoe kan dat nu weer?´

'Blijkbaar hebben we een rondje gelopen,' concludeerde Dio.

'Op naar de volgende gang,' zei Aine gejaagd. 'We moeten uit de buurt van die sfinx blijven.'

Uit de twee overgebleven gangen kozen ze hun nieuwe route. Dio legde de tweede batterij uit de zaklantaarn op de grond. Het grommen en janken van de sfinx klonk dreigend dichtbij. Het zou vast niet lang meer duren of de fakkels zouden doven.

'Rennen,' riep Aine. Ze was bang.

Na tien minuten stonden Aine en Dio hijgend bij de tweede batterij. Ze hadden weer de verkeerde weg genomen.

'Denk als de bouwers van de piramide,' hijgde Dio.

'Niet denken, rennen,' gilde Aine. Ze was niet alleen bang, maar ook in paniek.

Er was nog één mogelijkheid over en er restte erg weinig tijd. Zonder na te denken renden Dio en Aine ademloos de laatste gang in.

'Ik ruik de sfinx,' riep Aine. Ze keek om en struikelde bijna. Op dat moment doofde haar fakkel.

'Nu hebben we nog maar een brandende fakkel als wapen tegen de sfinx,' zei Aine half in tranen. 'Als deze fakkel ook dooft, heeft de sfinx een smakelijke maaltijd.'

In het zwakke schijnsel van de laatste fakkel renden ze door een haakse bocht en zagen tien meter voor zich uit een met goud beslagen deur schemeren.

'De koningskamer,' riep Dio.

De deur was versierd met een gouden zon en een gouden halve maan. Met hoge snelheid kwam de sfinx aanrennen. Dio en Aine grepen de deurklink en tuimelden de koningskamer binnen. De zware deur viel voor de snuivende neus van de sfinx in het slot.

Voorzichtig krabbelden Dio en Aine op. Vol ongeloof keken ze rond in de koningskamer. De met goud en edelstenen versierde ruimte had een PENTIUMvorm, waarbij in elk van de vijf hoeken een oude farao op zijn troon zat. Precies in het midden van de kamer borrelde water uit een gouden waterbron.

'Wel, wel, daar hebben we het zonsverduisteringkind. Eindelijk! Jullie hebben het gered... Welkom in de Zonnetempel,' zei een zware stem. 'Ik ben farao Ramses II uit de achttiende dynastie en ik wacht al eeuwen op je komst. Waarom duurde het zo lang?'

'Hebt u op mij gewacht? Kent u mij?' vroeg Dio, die zijn oren niet kon geloven.

'Ja, natuurlijk kennen we jou, zonsverduisteringkind. We wachten hier al vierduizend jaar.'

Dio wist niet wat hij ervan moest denken.

'We konden ondanks onze vermoeidheid niet gaan slapen, omdat de eerste wet van de wijsheid dan zou verdwijnen. Wij hebben die eerste wet in ons bezit. En jullie willen die vast weten. Daarvoor zijn jullie toch hier?' Vragend keek de farao Dio en Aine aan.

'Ja, maar... hoe weet u dat allemaal?' zei Aine verbaasd.

'Luister, meisje, als je al duizenden jaren in dit universum meedraait, dan weet je onderhand wel hoe het werkt.'

Aine wees naar de vier andere farao's die vanaf hun troon elke beweging van Dio en Aine zwijgend volgden.

'Wie zijn dat?'

'Dat zijn de andere farao's uit het oude Egypte. Wij zijn na onze dood hier bijeen gebracht als bewakers van de eerste wet van de wijsheid, die ooit in het oude Egypte ontdekt is.'

Ramses II liep naar zijn troon.

'Voor we verdergaan,' zei hij, 'rusten jullie even uit.' Jullie moeten een zware taak vervullen. Het is een lange tocht voor jullie geweest. Ga bij de waterbron zitten; eet en drink. Naast farao Toetanchamon staat een tafel vol eten voor jullie klaar.'

'Het eten is toch ook niet al duizend jaar oud?' vroeg Aine lachend.

'Natuurlijk niet, het is zo vers als de morgendauw op de bladeren van de palmen langs de Nijl,' antwoordde Ramses II.

Dio en Aine schuifelden naar de tafel en merkten nu pas hoeveel honger en dorst ze hadden. Ze pakten gretig de verse druiven en braken ieder een groot stuk af van het ronde, platte brood en gingen ermee bij de borrelende, gouden waterbron zitten. Hun angst voor de farao's was verdwenen.

'Wie had ooit gedacht dat ik nog eens bij de farao's zou eten? En ik eet nog met mijn handen ook, wat ik nooit van mijn moeder mag,' zei Aine.

Ze was nog wel een beetje boos op Dio, maar ze vond het avontuur toch ook wel leuk. Oude Egyptische farao's ontmoeten, dat was echt cool.

Toen Dio en Aine genoeg hadden gegeten, stond farao Ramses II op van zijn gouden troon. Zijn prachtige gewaad sleepte over de zanderige vloer. Met zijn staf tikte hij zeven maal op de vloer.

'Vannacht zijn jullie onze gast in de koningskamer. Hier zijn jullie veilig. Hebben jullie de symbolen op de deur van de koningskamer zien staan?'

'Ja, ik herinner me een gouden zon, met een halve maan eronder,' antwoordde Dio. Aan zijn scherpe blik ontging nooit wat.

'Precies, en hebben jullie enig idee waar die symbolen voor staan?'

Zowel Dio als Aine haalde ontkennend hun schouders op.

'Ik zal het jullie vertellen. 'Hator, de godin van de hemel, zocht een verbinding met de zonnegod Re en samen hebben ze toen op verschillende plaatsen op de wereld mystieke tovenaars neergezet. Die hebben vervolgens de piramidevorm geïntroduceerd. Piramides hebben magische afmetingen en exacte verhoudingen, waardoor ze energie uit het heelal kunnen opnemen. Het zijn de opslagplaatsen van kosmische energie. Dat is de reden dat onze oude faraolichamen eeuwenlang in goede staat bewaard zijn gebleven, en daarom kunnen we jullie na ruim vierduizend jaar de eerste wet van de wijsheid vertellen.'

Dio en Aine keken vol ongeloof naar de farao. Ze hadden hoge verwachtingen gehad van de zeven wonderlijke, onbekende werelden, maar dit ging hun fantasie en hun dromen te boven. Ramses II ging verder met zijn verhaal.

'In ons universum vindt het gevecht tussen goed en kwaad op aarde plaats. Dat gevecht is al tientallen eeuwen aan de gang, maar gelukkig zijn beide partijen nog steeds in evenwicht. We maken ons echter grote zorgen, omdat bij jullie op aarde het kwaad de overhand dreigt te krijgen.

Een van de oude Egyptische tovenaars, Dahé is zijn naam, heeft een geheim verbond gesloten met Azazel. Vierduizend jaar geleden heeft Dahé het Rijk van Wijsheid gevormd met als doel de zeven geheime wetten van het leven voor de mensen op aarde te verbergen. Maar omdat hij ook nog ergens een goede kant had, gaf Dahé het rijk een magische bescherming, zodat Azazel het niet kon veroveren.

Daar zat dan weer wel een tijdslimiet aan vast. Op 7 juli 2007 om klokslag 7:07 uur zal het Rijk van de wijsheid zijn magische bescherming verliezen. Dan trekt het leger van

Azazel het binnen. De wetten van de wijsheid en het PENTIUM komen dan in Azazels bezit.

Gelukkig heb jij ons gevonden. Nu is er weer hoop.'

De indrukwekkend grote farao stond nu voor Dio en Aine. 'Ben jij, zonsverduisteringkind, bereid de eerste wet van de wijsheid te ontvangen?'

Dio knikte verlegen. 'Ja, farao.'

'Wij mogen jullie de eerste wet van de wijsheid niet zomaar aan je vertellen. Dahé, de oude Egyptische tovenaar, was een genie. Hij heeft het zo geregeld dat jullie de wet met niet meer dan één aanwijzing van onze kant moeten ontdekken. Luister goed.

Hier zijn twee glazen potten. In de ene pot doe ik vers water uit de gouden bron; deze pot laat ik open. De andere pot bevat vierduizend jaar oud Nijlwater, dat schoon was toen het erin ging, maar al die tijd van de buitenwereld afgesloten is geweest. Deze potten zijn jullie aanwijzing voor de eerste wet van de wijsheid.

Voordat de god Re zich bij zonsopgang laat zien, moeten jullie met behulp van deze twee potten de eerste wet van de wijsheid hebben ontdekt. Als het jullie lukt, vertel ik jullie hoe de sleutel van de wijsheid kan worden gevonden. Als het niet lukt, zetten we jullie zonder fakkel aan de andere kant van de deur, zodat de sfinx jullie kan verscheuren. Hoe graag we het ook zouden willen, we mogen jullie niet verder helpen.'

Aine's gezicht was tijdens het verhaal van farao Ramses II steeds meer gaan betrekken. Het leuke aan het avontuur was verdwenen. Eigenlijk wilde ze nu alleen nog maar naar huis. Woensdag is ze jarig en ze moest nog een heleboel doen. Maar eerst moesten ze hieruit zien te komen. Het grootste probleem was nu dat ze met slechts één aanwijzing van de farao's het raadsel moesten oplossen.

Dio en Aine zaten met de twee potten water voor zich.

'Wat moeten we hiermee?' zei Dio. 'Hoe moeten wij nu een vierduizend jaar oude wet achterhalen? Boven, op aarde, hebben al miljoenen mensen die wet gezocht. Hoe kun je hem nou vinden met twee potten water?'

'Laten we de afgesloten pot opendoen en het water van beide potten onderzoeken. Misschien ligt daar de oplossing voor de eerste wet van de wijsheid,' zei Aine.

'Oké,' zei Dio. Hij had geen beter plan. Hij draaide de afgesloten pot met het vierduizend jaar oude Nijlwater open. Er steeg een weeïge lucht op uit de pot. Het was de stank van brak, verzuurd water, dat vierduizend jaar afgesloten is geweest.

Aine kneep haar neus dicht en schoof met haar voet de pot met brak Nijlwater weg. 'Gatsie, een pot met stinkwater. Wat moet je daar nu mee?'

De vijf farao's zaten zichtbaar geamuseerd naar Dio en Aine te kijken. Aan de andere kant van de koningsdeur jankte de sfinx van de honger. Seconden werden minuten en de minuten werden op hun beurt weer uren. Het spannende en opwindende gevoel sloeg langzaamaan om in angst en in wanhoop. Vol moed probeerden ze na te denken over de oplossing.

Na vele uren, toen Aine het echt niet meer zag zitten, kreeg Dio een ingeving. 'Aine, ik heb het antwoord.'

'Echt?'

'Ja, ik heb het denk ik gevonden.' Dio fronste zijn wenkbrauwen en begon zijn betoog. 'In de open pot zit water dat uit deze bron komt, en dat is fris en helder. Het langdurig stilstaande en afgesloten water is brak en stinkt verschrikkelijk. Ik heb wel eens gelezen dat de mens voor minstens tachtig procent uit water bestaat. Als je jezelf afsluit en stil blijft staan, word je brak en ga je stinken. Als je als mens open bent en in beweging blijft, blijf je helder en fris.'

'Helemaal niet gek bedacht,' zei Aine. 'Leg jouw oplossing maar voor aan de farao's.'

'Geniaal,' was het enige wat farao Ramses II zei, terwijl hij weer van zijn troon opstond. 'Je bent een echt zonsverduisteringkind. We hebben blijkbaar niet vergeefs op je gewacht. Ik geloof nu werkelijk dat er een kans is om het Rijk van Wijsheid uit de macht van Azazel te houden. Ik ga proberen jullie verder te helpen, luister.

Deze piramide staat niet voor niets in het centrum van het Rijk van Wijsheid en heet niet zomaar "de Zonnetempel". De deur naar de koningskamer is om een bijzondere reden met een maan en zon versierd. De zon staat voor de dag en het positieve, terwijl de maan de nacht en het duistere in dit universum symboliseert.

De zon en maan zijn elkaars tegenpolen, waar altijd een beweging tussen bestaat. De eerste wet van de wijsheid is dan ook de "wet van in beweging zijn".

Tussen twee tegenpolen ontstaat altijd beweging. Daarom bestaat er geen dag zonder de nacht, geen berg zonder dal en geen zonlicht zonder schaduw. Er is geen positief als er niet ook een negatief is, en er is geen leven zonder dood en zelfs geen succes als er niet ook mislukking bestaat.

Zorg dat jullie altijd blijven bewegen, vooral als het tegenzit bij het ontdekken van de andere zes wetten van de wijsheid. Als er geen uitweg meer is, ga dan niet bij de pakken neerzitten, maar blijf bewegen en probeer wat. Daarom leren jullie dit als eerste wet van de wijsheid.'

De Farao keek hen met toegeknepen ogen aan.

'Farao Ramses, waarom hebben mensen hier zo lang naar gezocht?' vroeg Dio.

Ramses II sloeg hard met zijn gouden staf op de grond, zodat het kurkdroge zand opspatte.

'Hoop, jongen, hoop. De wet van in beweging zijn is de basis voor hoop in dit leven.

Hoe uitzichtloos je situatie ook is, er is altijd hoop, als je maar blijft bewegen en iets onderneemt. Voor iedereen die bij tegenslag niet bij de pakken neerzit, is er hoop op betere omstandigheden. Zolang de aarde blijft draaien komt er aan elke nacht een einde. Zolang ook de mens iets onderneemt, blijft bewegen, komt er aan elke moeilijke omstandigheid een einde. Sta niet stil, sluit jezelf niet af als een pot met Nijlwater.'

'Het klinkt logisch, farao, maar waarom houden sommige mensen dan gedurende hun leven op met bewegen?' vroeg Aine.

'Jonge mensen en kinderen bewegen automatisch, dat doen ze van nature. Ze kunnen niet anders. Ze stellen vragen en zijn bereid risico's te nemen en te leren. Ze willen bouwen en staan open voor nieuwe dingen. Daarom zijn ze ook fris en ruiken zelfs zonder parfum lekker.

Bij het ouder worden, verandert er veel in de instelling van de meeste mensen. Vooral als ze succesvol zijn. Ze denken het leven gezien te hebben en proberen vast te houden wat ze bereikt hebben. Daarmee sluiten ze nieuwe kansen af. De beweging in hun leven stagneert en ze komen uiteindelijk tot stilstand en keren in zichzelf.

Blijf bewegen, want zolang je beweegt is er hoop. Dat is de eerste wet van de wijsheid.'

Farao Ramses II liep naar zijn gouden troon en haalde een oud stuk perkament tevoorschijn waarop bovenaan met grote letters 'Het PENTIUM' stond geschreven. Eronder was de kaart van het Rijk van Wijsheid getekend. Het had een vorm van een vijfpuntige ster. In elk van de punten lag een rijk waar een wet van de wijsheid te vinden was. In het centrum stond de Zonnetempel. Het rijk was omsloten door een oceaan, en daar was volgens de tekening de zevende, tevens laatste wet van de wijsheid te vinden.

Onder aan de kaart stond in een prachtig handschrift de eerste wet geschreven. De farao overhandigde Dio het perkament. 'Gebruik deze kaart om de andere werelden in het Rijk van Wijsheid te vinden. Jullie hebben weinig tijd. Kijk uit voor Azazel, hij zal zich niet gemakkelijk gewonnen geven. Ook hij heeft vierduizend jaar gewacht om het Rijk van Wijsheid in zijn bezit te krijgen. Ga nu, zonsverduisteringkind, ga. Je bent onze enige kans.'

'Bedankt,' zei Dio en enigszins overdonderd nam hij het perkament in ontvangst.

De farao gebaarde dat ze weer konden gaan zitten. 'Ruim vierduizend jaar hebben we op jullie gewacht om deze magische eerste wet van de wijsheid door jullie te laten ontdekken. Nu kunnen we eindelijk alle vijf van de eeuwige rust genieten. Zeven dagen is kort voor de ontdekking van alle wetten, zonsverduisteringkind, maar met jouw speciale gaven is er een kans. De goede goden zijn met jullie op deze bijzondere reis, maar nu moeten jullie eerst gaan slapen.' En met deze woorden schreed farao Ramses II terug naar zijn gouden troon.

Aine deed voor het slapengaan het deksel op de stinkende pot met Nijlwater. Ze kroop tegen Dio aan en zo waren ze samen in een diepe slaap gevallen. Aine werd midden in de nacht opeens schreeuwend wakker, omdat ze over de Sfinx droomde, maar vlak daarna sliep ze gelukkig gewoon weer verder.

Zondag

De volgende dag werden Aine en Dio wakker naast de eeuwig borrelende waterbron.

'Goedemorgen, jullie hebben vandaag een zware reis voor de boeg en nog maar zes dagen de tijd om de overige zes wetten van de wijsheid en het PENTIUM te vinden. Haast is geboden,' zei farao Ramses II.

Aine had niet geluisterd. Ze staarde naar de tronen van de andere farao's. Tot haar schrik zaten de vier farao's als gemummificeerd te staren in het oneindige niets.

'Wat is er met de andere farao's gebeurd?' vroeg ze.

'Zij hebben vannacht alvast afscheid genomen en zijn nu eindelijk naar de velden van de eeuwigheid gegaan. En vannacht ga ik hen achterna. Maar ik help jullie eerst nog op weg en zal jullie uitgeleide doen, zodat jullie niet zullen verdwalen in de piramide en veilig zijn voor de sfinx. Vul allebei een veldfles met dit heldere, frisse bronwater. Het is geneeskrachtig en zal jullie op jullie tocht extra energie geven.'

Ramses II stond op en stootte drie keer hard met zijn staf op de grond. De koningskamerdeur zwaaide als vanzelf open.

Met een brandende fakkel in zijn hand bracht de farao Dio en Aine door de doolhof naar de uitgang van de piramide. Buiten werden Dio en Aine verblind door het daglicht. Farao Ramses II zag er in het felle zonlicht fragiel en doorzichtig wit uit. Hij deed zijn handen voor zijn ogen als bescherming tegen de zon en wees met zijn faraostaf in oostelijke richting.

'Die kant moeten jullie uit. Loop net zo lang oostwaarts tot je in de scherpe punt op het einde de volgende wereld zult vinden. Jullie komen daar in een wereld terecht waar zich de tweede wet van de wijsheid bevindt. Veel succes, maak haast en pas goed op jezelf. Jullie hebben het lot van het universum in handen. Het kwaad mag niet overwinnen.'

Dio en Aine namen afscheid van farao Ramses II. Aine sloeg haar armen onwennig om hem heen. Dit is mijn enige kans om een farao een knuffel te geven, dacht ze. Dio gaf de farao een hand en keek in zijn vriendelijke wijze ogen.

'Eindelijk heb ook ik rust,' zei Ramses II. 'Vergeten jullie de wet van in beweging zijn niet.'

Dat waren zijn laatste woorden. Met een lichte hoofdknik liep Ramses II weer de piramide in om naar de velden van de eeuwigheid te gaan.

Dio en Aine gingen weer op weg. De eerste wet van de wijsheid was binnen. Zo vroeg in de ochtend was het al snikheet in de woestijn. De veldflessen raakten snel leeg.

Na drie uur lopen veranderde de woestijn weer langzaam in een steppelandschap. Zo ver ze konden kijken, zagen ze alleen vlakke, kale grasvelden met hier en daar een verdwaalde boom.

Door de stilte en de akelige verlatenheid van het landschap begon Aine weer te twijfelen. Zou ze wel op tijd terug zijn voor haar verjaardag?

'Dio, luister eens. Ik vind dit eigenlijk niet leuk meer, ik wil naar huis,' zei Aine met zachte stem. 'Wanneer denk je dat dat gaat lukken?'

Dio pakte haar hand. 'Ik beloof je dat ik je zal thuisbrengen. Maar dat kan nog wel even duren, Aine.'

'Thuis zullen ze nu echt heel ongerust zijn.'

'Misschien komen ze ons wel zoeken,' zei Dio. 'Dan vallen ze met de politie, nee, ik denk zelfs met het hele leger Azazel aan en worden we bevrijd.'

'Denk je?' vroeg Aine.

'Ik hoop het,' zei Dio. 'Ik hoop het net zo hard als jij.'

Ze liepen verder en na een poosje doemde er in de verte een vreemde, betonachtige wereld op. De nieuwsgierigheid naar deze tweede nieuwe wereld gaf Dio en Aine nieuwe energie. Toen ze het dorp naderden, zagen ze tot hun verrassing dat de huizen de vorm hadden van enorme geldkluizen. Rechthoekig, met kleine, getraliede ramen in metersdikke, gegoten betonnen muren.

'Het lijken de pakhuizen van oom Dagobert wel,' zei Aine.

Het grijze beton van de huizen stond in schril contrast met het bruin en groen van het steppelandschap. Bij iedere stap richting het dorp werden de kluishuizen groter.

'Vrektown' stond er op een blauw bord dat op een betonnen paaltje was bevestigd.

Het was er niet druk op straat. De paar grauwe, armoedig geklede mannen die ze tegenkwamen, keken verbaasd op naar de twee kinderen. Blijkbaar waren ze een bezienswaardigheid in Vrektown. Sterker nog, misschien zelfs wel ongewenst.

'Wat een zure, chagrijnige mannetjes,' zei Aine. Ze liepen een pleintje op met slecht onderhouden perkjes waar ze op een grijze betonnen bank gingen zitten. Alles om hen heen was grauw en slecht onderhouden, alsof er al vijftig jaar niets meer aan was gedaan.

'Je zult er maar wonen,' zei Aine.

Eigenlijk hadden ze geen flauw idee wat ze nu moesten doen. Ze keken naar de verwilderde planten in de perkjes.

'We moeten opschieten, Aine. We moeten hier in Vrektown gaan zoeken naar de wet van de wijsheid. We hebben haast, weet je nog?'

'Rustig, Dio, eerst maar eens afwachten.'

Zo zaten ze tien minuten op het bankje, toen een oude man in vale, versleten kleding vol gaten op hen afgeschuifeld kwam. Hij zag eruit als een zwerver.

'Ik ben Scully. Hoe komen jullie hier?' vroeg hij met half dichtgeknepen ogen. In afwachting van hun antwoord perste hij zijn lippen zuinig op elkaar.

'Ik ben Aine en dat is Dio. We komen net uit de Zonnetempel. Heel leuk en gezellig daar, tussen de oude farao's,' antwoordde Aine uitdagend.

Scully's ogen knepen zich nog meer samen. Hij mompelde iets in zichzelf voordat hij zei: 'Ik heb jullie niets van waarde te bieden, maar als jullie het graag willen, loop dan maar met me mee.'

Dio keek naar Aine en beiden begrepen dat ze op deze uitnodiging moesten ingaan. Ze moesten gewoon ergens beginnen. Misschien kon Scully hen naar de tweede wet van de wijsheid leiden. Ze liepen achter de sloffende oude man aan door Vrektown.

'Waar komen jullie oorspronkelijk vandaan?' vroeg Scully nieuwsgierig.

'Van hierboven. De aarde dus,' zei Aine. 'En ik wil zo snel mogelijk weer terug.'

'Nou, welkom in Vrektown,' zei Scully minzaam. 'Weten jullie al iets over deze wereld?'
'Nee,' riepen Dio en Aine in koor.
'Vrektown is de allerrijkste wereld in het Rijk van Wijsheid. Misschien wel de rijkste wereld van het hele universum. We zijn hier terechtgekomen, omdat Vrektown een belangrijke wet van de wijsheid herbergt. Wisten jullie trouwens dat iedere inwoner van Vrektown multimiljonair is?'
'Jij ook, Scully?' vroeg Dio verbaasd.
'Ik ben vele, vele malen multimiljonair.'
'Waarom draag je dan zulke kleding?' vroeg Aine. Scully bleef staan en keek haar boos aan. 'Wat is er mis met mijn kleding? Deze prima outfit heb ik in de uitverkoop op de kop getikt. In 1932 was dat. Het is een bijna nieuw pak, derdehands, hoor.'
Aine draaide zich om, zodat Scully haar niet kon zien lachen. Met haar moeder had ze bijna dagelijks ruzie om oude kleren, die ze niet naar school wilde aantrekken. En die waren vaak niet langer dan een jaar gebruikt!
'Er is niets mis met je kleding,' zei Dio,'maar is het nog ver, Scully?'
'Ik woon iets verderop. Jullie zullen wel dorst hebben,' zei Scully. 'Jullie mogen wel een glaasje limonade bij me komen drinken. Gratis, welteverstaan.'
Uit de nadruk die Scully op de laatste woorden legde, begreep Dio dat dit heel uitzonderlijk was.
'Jullie zijn mijn eerste gasten in achttien jaar tijd.'
'Echt?' vroeg Aine. 'Dat is een hele tijd.'
'In Vrektown worden mensen nooit uitgenodigd. Dat kost gewoon te veel geld,' vertelde Scully ernstig.
'Wij zijn heel graag jouw gast,' antwoordde Dio. Hij hoopte wat meer los te krijgen over de tweede wet van de wijsheid.

Scully slofte weer verder.

'Ik zie alleen maar mannen op straat,' merkte Dio op.

'Dat klopt, de mannen van Vrektown hebben geen vrouw. Vrouwen geven te veel geld uit, is onze ervaring, en een simpele rekensom maakt al snel duidelijk hoe duur kinderen zijn als je die moet opvoeden.'

'Dat vind ik stom,' riep Aine. 'Stom en kortzichtig.'

'Misschien wel stom, maar ook goedkoop,' antwoordde Scully minzaam. 'Een paar vrekken uit onze wereld hebben wel eens geprobeerd een relatie met een vrouw op te bouwen, maar ze hielden het maar even vol. Ze hadden steeds ruzie over geld. Hier woon ik trouwens.'

Scully stond stil voor een kluishuis. Het was zonder overdrijven het grootste huis van het dorp. Scully draaide aan het cijferslot en even later zwaaide de zware kluisdeur van zijn woning met een klik open.

Het huis was sober ingericht, met hier en daar een spaarlampje, dat automatisch aan- en uitging als je erlangs liep. Eigenlijk was 'sober' niet het goede woord. Het huis was grauw, kaal en leeg. Het was er koud. Nergens waren radiatoren te zien. Die kosten zeker te veel energie, dacht Dio. Hij huiverde. Je zou er maar moeten wonen.

Scully bracht Dio en Aine naar een vale bank uit de jaren twintig, die door zijn hoge leeftijd weer in de mode was geraakt, en ging naar de keuken.

Op de kale, houten tafel lag een verkreukelde krant. Aan de voorpagina was een namenlijst vastgeniet. Zo te zien was Scully de achtenzeventigste lezer van deze krant.

"Revolutionaire uitvinding bespaart water" was de grootste kop van de krant. Dio las dat het leggen van een baksteen in de stortbak van je toilet een waterbesparing van maar liefst vierhonderd liter per jaar kon opleveren. Hoofdschuddend keek hij naar dit nieuwsbericht en legde de krant terug op tafel.

Scully kwam met twee glazen kraanwater de kamer in. Als je heel goed keek, zat er een lichtrode zweem door het water heen.

'Een verrassing voor jullie: twee glazen heerlijke limonade.'

Dio en Aine hadden dorst en sloegen de waterlimonade niet af. Veel smaak zat er niet aan.

'Mmm, lekker pittig,' zei Aine, die baldadig begon te worden.

Scully keek Aine aan en staarde met een meer dan normale belangstelling naar de gouden ring die aan de ketting om haar hals hing.

'Prachtige gouden ring heb je daar,' zei hij, met zijn charmantste glimlach. Intuïtief bracht Aine haar hand naar haar ring om die te verbergen.

Dio had niets in de gaten. Hij wilde alles over Vrektown weten, want hij moest zo snel mogelijk de tweede wet van de wijsheid vinden. Vragen moest hij stellen. Zoveel mogelijk vragen.

'Waarom zijn jullie huizen gebouwd als kluizen?'

'Omdat de kelder van elk huis in Vrektown helemaal vol zit met goudstukken en geld.'

'Hebben jullie dan geen bank waar je het geld naartoe kan brengen?'

'Nee, de bank is tien jaar geleden failliet gegaan. Geld bewaren op de bank kost geld. Vandaar dat iedereen zijn eigen kluis onder zijn huis heeft laten bouwen. Met een eigen kluis is het opslaan van geld namelijk helemaal gratis.'

'Wat doen jullie dan met al dat geld?'

'Niets, alleen maar sparen,' antwoordde Scully. 'Ik zorg dat het geld niet uitgegeven wordt. Zo blijf ik voor altijd rijk.'

Dio en Aine luisteren met toenemende verbazing naar zijn uitleg. Ze begrepen er niets van. Wat heb je aan goud en geld als je er helemaal niets mee doet en alleen maar bang bent dat het minder wordt?

Het bleef zo lang stil dat Aine ongemakkelijk op de bank heen en weer schoof. Scully keek weer geïnteresseerd naar de gouden ring om haar hals.

'Hebt u van de wetten van de wijsheid gehoord?' vroeg Dio.

Scully knikte bevestigend.

'Wij zijn op zoek naar de tweede wet van de wijsheid.'

Scully keek eerst Dio en toen Aine doordringend aan.

'Die tweede wet heb ik in mijn bezit.'

Er verscheen een glimlach op Dio's gezicht. 'Fantastisch! Wilt u hem aan ons geven?'

Een bulderend gelach was het antwoord. 'Géven! Jij hebt humor, jongen. Hoe heet je ook alweer?'

'Dio.'

'In Vrektown is niets gratis, Dio. En de tweede wet van de wijsheid al helemaal niet. Zelfs mijn vrienden in Vrektown kennen hem niet.'

'We hebben geen geld bij ons,' antwoordde Dio. 'We kunnen u niet betalen.'

'Jouw vriendin heeft toch die prachtige ring om haar hals,' zei Scully hebberig.

Aine bedekte opnieuw de ring met haar hand. 'Die heb ik van mijn oma geërfd.'

'Dat is dan jammer! Kom, ik zal jullie even uitlaten.'

'Wacht,' riep Dio. 'Als u ons de wet niet vertelt, wordt u over een paar dagen ingelijfd bij het leger van Azazel.'

'Ach, jongen, onze kluishuizen zijn zo goed beveiligd. Daar komt geen Spock in.'

Daar had Dio niets tegenin te brengen. Zwijgend zat hij naast Aine op de bank. De stilte duurde lang en werd bijna ondraaglijk.

'Oké, oké,' zei Aine uiteindelijk. 'Ik heb zelf ook geen zin om in een Spock te veranderen. Ik wil zo snel mogelijk naar huis. U krijgt de ring, Scully.' Ze wilde hem al afdoen, maar Scully hield haar tegen.

'Vanavond zijn jullie uitgenodigd om bij mij te eten en te overnachten. En om jullie de tweede wet van de wijsheid zelf te laten ervaren, nodig ik jullie uit om eerst een bijzondere gebeurtenis mee te maken.'

'Ik blijf liever hier' zei Aine. Ze was boos omdat ze haar ring aan Scully moest geven.

'Waar gaan we heen?' vroeg Dio.

'Naar een begrafenis. De begrafenis van mijn vriend en buurman Jing Hwa.'

Aine proestte de limonade uit. Ze had van alles verwacht in Vrektown, maar een uitnodiging om naar de begrafenis te gaan van iemand die ze helemaal niet kenden, dat was te bizar voor woorden. Dio keek Scully verbaasd en ongelovig aan.

'Kijk niet zo,' zei Scully. 'Jullie wilden toch die tweede wet van de wijsheid hebben?'

'Jazeker,' zei Dio snel. Hij was bang dat Scully boos zou worden en niet meer zou meewerken. Dan was alles verloren.

'Dan moeten jullie niet zeuren. Hier in Vrektown krijg je niets voor niets. We denken er zelfs over om een jaarlijks bedrag te gaan vragen voor het schijnen van de zon.'

Er zat niets anders op dan samen met Scully naar de kerk te lopen voor de begrafenis. Aine en Dio waren nog nooit naar een begrafenis geweest. Aine slofte achter Dio en Scully aan. Hoe kwamen ze hier ooit weg? Alles werd alleen maar erger. Straks was ze niet alleen te laat voor haar verjaardag, maar dan zou ze ook haar ring kwijt zijn. De ring waar ze zo aan gehecht was. Met tegenzin liep ze achter Scully en Dio de kerk in. Wat had een begrafenis met de tweede wet van de wijsheid te maken? En waarom keek iedereen zo gemeen? Ze voelde overal priemende blikken van grauwe, oude mannen in muffe, zwarte pakken.

Ik wil hier weg, dacht Aine, ik wil hier weg.

Scully liep naar de voorste bank en ging daar met Dio en Aine zitten. De vrek naast hen schoof direct een stukje op alsof ze een vies luchtje om zich heen hadden. Ze voelden de blikken van de andere vrekken in hun rug, alsof die door hen heen wilden kijken.

Aine boog zich naar Dio en fluisterde in zijn oor. 'Hoe moeten we hier de tweede wet van de wijsheid vinden? Vast niet bij de dode Chinees. En ik wil mijn ring houden.'

Dio gaf geen antwoord. Hij nam alles scherp in zich op. Een verwaarloosde kerk, de goedkope vurenhouten kist, nergens kaarsen of bloemen. De banken zaten vol met vrekken die geen enkele emotie toonden en het best omschreven konden worden als grauwe lijkenpikkers. Scully wreef als enige tijdens de dienst een paar tranen weg.

Aan het eind van de dienst werd de kist de kerk uit gereden. Niemand besteedde er nog aandacht aan. Alleen Scully bracht zijn overleden vriend een laatste groet en keek de kist na. Iedereen verzamelde zich in een houten bijgebouwtje van de kerk om samen koffie te drinken. Dio en Aine bleven buiten wachten. Nieuwsgierig keken ze naar binnen. Daar zat de notaris, met alle vrekken uit de kerk die als raven om hem heen dromden. De vrekken waren niet voor Jing Hwa gekomen, maar voor zijn erfenis.

'Die dode man interesseert ze helemaal niets, het gaat ze alleen om zijn geld en zijn huis,' fluisterde Aine. 'Dat is toch verschrikkelijk.'

Dio knikte. 'En wat kan dat nu met de tweede wet van de wijsheid te maken hebben?'

'Dat weet ik niet,' antwoordde Aine. 'Ik weet wel dat ik er helemaal verdrietig van word. Wat een rotreis. En dit is pas de tweede wereld.'

Even later kwam Scully met een glimlach uit het gebouwtje naast de kerk gelopen. Blijkbaar had hij goede zaken gedaan.

'En, hebben jullie de tweede wet van de wijsheid al ontdekt?'

'Nee,' zei Aine. 'Natuurlijk niet.'

'Dat dacht ik al,' zei Scully tevreden. Hij wreef bedachtzaam over zijn kin voordat hij verder ging: 'Ik ben in een goede bui vandaag. Met een prachtige gouden ring en een mooie portie van de erfenis kan mijn dag niet meer stuk. Daarom heb ik een verrassing voor jullie. Hier in Vrektown geven we slechts zeer mondjesmaat etentjes. En als we het doen, moeten de gasten hun eigen eten meebrengen. Alleen bij een extra bijzondere gelegenheid schenken we watsie.'

'Watsie? Wat is dat?' vroeg Dio.

'Witte wijn aangelengd met minimaal zestig procent water. De lekkerste watsie krijg je door de wijn met precies zoveel water aan te lengen dat je de wijnsmaak nog net kunt proeven.'

Opeens stond Scully op en schraapte zijn keel. Zo leek het alsof hij iets heel belangrijks wilde zeggen. 'Jullie zijn van ver gekomen en hebben voor mij een prachtige gouden ring meegebracht. Daarom heb ik met mijn hand over mijn vrekkenhart gestreken. Vanavond mogen jullie gratis – ja, jullie horen het goed, helemaal gratis – bij mij eten én vannacht op de logeerkamer slapen. Achttien jaar lang heb ik elke avond alleen gegeten, dus een feestje is wel weer eens gepast. We maken er een speciale avond van en bij het eten krijgen jullie ook nog een glaasje watsie van me. Ik heb het zelf ook al jaren niet meer gedronken. Ik heb vandaag een goede slag geslagen en dat moet gevierd worden.'

'Gatsie, ik lust geen watsie,' mompelde Aine. Scully hoorde het niet. Hij was te veel met zijn nieuwe bezittingen bezig.

'Mijn aanbod geldt slechts voor één nacht. Voordat morgenochtend de zon opgaat, zal ik jullie in ruil voor die prachtige gouden ring de tweede wet van de wijsheid vertellen. Daarna zijn jullie niet meer welkom in Vrektown. De vrekken zullen jullie verjagen, omdat ze bang zijn dat jullie op onze zak willen teren.'

Scully bracht Dio en Aine naar een stoffige logeerkamer waar overal spinnenrag zat.

'De laatste die hier heeft geslapen was Jing Hwa, mijn buurman. Dat was achttien jaar geleden toen hij een grote lekkage had in zijn slaapkamer,' vertelde Scully voor hij verdween.

'Getver,' riep Aine. 'Dan slapen we in de kamer van iemand die dood is. Dat doe ik niet.'

Dio probeerde Aine gerust te stellen. 'Die buurman sliep hier achttien jaar geleden. Zijn logeerpartij is dus al heel lang geleden, Aine.'

'Oké, maar ik slaap hier alleen als dat spinrag weg is.'

'Dat is zo gebeurd,' zei Dio. Met wat koud water uit de kraan en een oud vaatdoekje dat ze naast de wastafel vonden maakten ze samen alles schoon.

'Vervelende mensen, die vrekken,' zei Aine. 'Dio, jij moet ervoor zorgen dat die ring terugkomt. Ik heb hem gekregen toen ik geboren werd. Hij is van mijn oma geweest en ik ben er erg aan gehecht.'

'Natuurlijk doe ik dat,' zei Dio, maar hij was er niet gerust op. Daarom begon hij snel over iets anders. 'Vanavond horen we de tweede wet van de wijsheid. Heb jij al enig idee?

Aine haalde haar schouders op en liet zich languit op de harde matras vallen. 'Welke wijsheid kun je nou van vrekken leren? Misschien neemt Scully ons in de maling en is hij alleen uit op mijn mooie ring.'

'Daar komen we vanzelf achter,' zei Dio en hij ging naast Aine op het bed zitten.

Om zeven uur klonk er een harde gongslag door het huis. Dio en Aine sprongen verschrikt van het bed op en schuifelden de donkere slaapkamer uit, op zoek naar de trap die hen naar beneden zou brengen.

De trapleuning zorgde ervoor dat ze niet in het pikkedonker naar beneden vielen. Zo nu en dan floepte er toen ze langsliepen in de gang een spaarlampje aan en zo vonden ze in het schamele licht de eetkamer.

Scully had zijn best gedaan om de tafel zo gezellig mogelijk te dekken en had zelfs twee oude kaarsen aangestoken en op tafel gezet. Aan de Chinese tekens te zien moesten de kaarsen ooit van Jing Hwa zijn geweest. Het kaarslicht gaf de kille betonnen ruimte een spookachtige sfeer.

'Hebt u nooit een vrouw gehad?' vroeg Aine om de stilte te doorbreken.

Zonder het te beseffen had ze Scully's zwakke plek geraakt. De oude man, die net heel geconcentreerd voor iedereen watsie aan het inschenken was, stopte even en keek Aine met een pijnlijk getroffen blik aan. Hij zette de fles watsie neer en liet zich zakken in zijn stoel.

'Bijna zestig jaar geleden kreeg ik verkering met een heel lieve vrouw. Ik hield echt van haar en mijn vrekkenhart begon te ontdooien. Ze was een zuinig type en alles leek dan ook goed te gaan. We hadden zelfs al trouwplannen toen het hoge woord eruit kwam...

Ze wilde dolgraag kinderen.

Ik heb haar direct voorgerekend hoeveel het kost om dat grut op te voeden tot die op eigen benen kunnen staan. Ze werd heel boos en stelde me voor de keuze: geld of een gezin. Hoewel ik zielsveel van haar hield, koos ik natuurlijk voor het geld en niet voor haar. Ik zie haar nog vertrekken. De tranen stonden haar in de ogen. Toen ze weg was, waren er in Vrektown helemaal geen vrouwen meer.'

'Nooit spijt gehad?'

'Nee, nooit. Ik leef voor mijn geld. Daar doe ik alles voor. Geld is voor mij het allerbelangrijkste wat er is.'

Met die woorden stond Scully op en ging naar de keuken om het eten te halen.

'Hier klopt iets niet, Dio, dat voel ik. Is Scully wel te vertrouwen?' vroeg Aine.

Dio sloeg zijn hand voor zijn gesloten ogen om beter te kunnen nadenken, maar daar kwam Scully alweer de kamer in. Trots op zijn kookkunst legde hij op elk bord twee aardappelen en vierenhalve wortel.

'Wat een gezelligheid,' riep de gastheer opgewekt. Een beetje aangeschoten door de watsie pakte hij zijn glas en bracht een toast uit. 'Laten we drinken op het geld én op jouw ring, meisje. Hij is echt prachtig.'

'Proost,' zei Dio.

Aine zweeg en keek nukkig naar Scully en daarna naar haar bord. Ze had een hekel aan worteltjes, maar nu ze zo'n honger had leken de worteltjes wel zoete spekkies.

'Ik hoorde laatst nog een werkelijk fantastische tip om geld te besparen,' vertelde Scully enthousiast. Hij had een goede stemming door de watsie. 'Gezamenlijk met de buren een afvalbak nemen, zodat je maar de helft van de afvalbelasting betaalt. Waanzinnig slim idee, nietwaar? Ik ben gisteren meteen bij Gemeentewerken langs geweest om het te regelen.'

Aine keek weer naar Scully, terwijl haar rechterhand even haar ring aanraakte. 'Mag ik u nog iets vragen, meneer Scully?'

'Natuurlijk, mijn kind,' antwoordde Scully en hij bracht een vork waaraan een wortel zat geprikt langzaam naar zijn mond.

'U praat zoveel over geld, maar bent u wel echt gelukkig?'

Scully's mes en vork kletterden op de tafel en er viel een doodse stilte. De oude man was geraakt door de vraag en keek strak voor zich uit. De lach was van zijn gezicht verdwenen. Even was Dio bang dat ze het kluishuis uitgestuurd zouden worden.

'Kunt u zeggen of u een gelukkig leven hebt geleid?' vroeg Aine nu met meer nadruk.

Zonder meteen te antwoorden legde Scully zijn hand onder zijn kin, keek Dio en Aine aan en begon langzaam te knikken. 'Het is tijd om jullie de tweede wet van de wijsheid te vertellen. Maar eerst wil ik volgens onze afspraak de gouden ring ontvangen.'

Aine duwde haar stoel naar achteren en stond op. Ze ging die ring niet geven. Nooit! Ze zou gewoon dit huis uit rennen. Dio keek haar smekend aan. Je had het beloofd, leek hij te zeggen. Ze liet zich weer op haar stoel terugvallen. Er was geen ontkomen aan. Aine deed haar ketting af en pakte de gouden ring. Ze keek er nog een keer goed naar en overhandigde hem toen aan Scully.

'Nu willen we die wet horen.'

Scully pakte de ring en liep ermee naar de secretaire, waar hij een lampje aanklikte. In het lamplicht bekeek hij de ring nauwkeurig. Plotseling werden zijn ogen groter en begonnen zijn handen te trillen en de ring kletterde op het bureaublad. 'Nee, het is niet waar. Laat het niet waar zijn.'

Dio en Aine keken elkaar verbaasd aan. Ze begrepen er niets van.

Scully richtte zich op en keek Aine streng aan. 'Ken jij iemand die Aine heet?' vroeg hij met afgemeten stem.

'Ja, zo heet ik zelf.' Aine had geen idee waar Scully heen wilde.

'Dat weet ik, ja, maar dat bedoel ik niet,' riep Scully. 'Ik bedoel een ouder iemand die Aine heet.'

'Ja,' zei het meisje weer, 'mijn oma heette zo. Van haar heb ik de ring geërfd.'

'Dus toch,' mompelde Scully. 'Onmogelijk,' riep hij weer, terwijl hij de ring van het bureaublad pakte.

'Wat is er met de ring?' vroeg Dio.

'Dit,' antwoordde Scully, terwijl hij de gouden ring voor zijn gezicht hield, 'dit is een beroemde magische Keltische ring.'

'Een magische Keltische ring? Hoe weet u dat?' riep Aine. Eindelijk zou ze het geheim over haar ring horen.

'Voordat ik in Vrektown belandde, was ik bankier in het Ierse plaatsje Gatunbury aan Lake Avalan.

Op een dag in november kwam er een oude vrouw naar de bank. Ze wilde een kluis huren voor haar gouden ring. Toen ik de ring vastpakte, wist ik meteen dat het niet zomaar een gouden ring was, maar een heel bijzondere. Die avond deed ik iets wat ik nog nooit had gedaan. Na sluitingstijd deed ik de kluis open, haalde de ring eruit en nam hem mee naar huis.

Daar heb ik in een oud Keltisch boek de ring opgezocht. Hij bleek een speciale magische bescherming te bieden, en aan de binnenkant stond "Purna" gegraveerd.'

'Purna, ja, dat klopt! Ik heb me altijd al afgevraagd wat dat betekent,' zei Aine.

'Purna wil zeggen: *datgene dat alles bindt, verbindt en in alles wordt gevonden.* Het is een oude Keltische toverspreuk, die jullie waarschijnlijk nog nodig zullen hebben. Ik kan deze magische Keltische ring niet van jullie aannemen.'

'Waarom niet?' vroeg Dio. Hij wilde zoveel mogelijk weten.

'Ik zal het jullie laten zien.' Scully liep weg en kwam even later terug met een oud Keltisch boek. De donkerbruine leren kaft was versleten en gescheurd. Scully bladerde door het boek en stopte bij pagina 119. 'Hier staat iets over de magische Keltische ring.'

Scully pakte een leesbrilletje met één glas en begon de Keltische spreuk voor te lezen.

'De magische Keltische ring mag alleen door een Aine
worden gedragen
totdat het PENTIUM van wijsheid erom zal vragen
ieder ander die deze magische ring begeert
zal door een hels vuur voor eeuwig worden verteerd.'

Scully liep naar Aine en overhandigde haar met een lichte buiging de ring. 'Deze ring is van jou, Aine. Je hebt hem niet voor niets van je grootmoeder gekregen. Ik mag hem niet aannemen.'

Aine pakte de ring en hing hem weer aan haar halsketting. Je kon zien hoe blij ze ermee was. 'Mag ik iets vragen, Scully? Ik ben geboren op de dag dat mijn oma gestorven is. Kunt u iets over haar vertellen?'

'Ja, ik was je oma's bankier en ik heb haar goed gekend. Na de dood van je opa leidde ze een teruggetrokken leven in een oude ruïne in Gatunbury aan Lake Avalan, in Ierland. Jouw oma was een bijzonder mens. Ze kon mensen met haar handen genezen. De mensen uit Gatunbury gingen niet naar de dokter, maar naar Aine om hun kwaal te laten genezen. Er deden verhalen over je oma de ronde. Ze zou de geheime magische Keltische tovenarij beheersen. Toch bleef ze voor iedereen in het dorp een uitzonderlijke vrouw.

Een paar maanden voor haar dood heeft je oma de ring uit haar kluis gehaald en tot deze avond heb ik hem niet meer gezien.'

Scully schudde zijn hoofd om zoveel toeval, en zei: 'Jullie hebben de tweede wet van de wijsheid nog van me tegoed.'

Er verscheen een lach op Dio's gezicht.

'Dus u gaat ons nu de tweede wet van de wijsheid vertellen?'

'Ja, hoezeer het me ook spijt dat ik de ring niet kan aannemen. Ik ben wel een man van mijn woord.'

'Ik heb altijd gedacht dat geld en goud mij het geluk zou brengen waar ik zo naar verlang. Jaren heb ik mijn rijkdom vast gehouden. Elke cent werd omgekeerd en ik hield mezelf voor dat ik rijk, dus gelukkig was.

Pas de laatste jaren drong het tot me door dat een gelukkig leven niet te koop was. Ik werd onrustig van de gedachte dat ik mijn hele leven op het verkeerde paard gegokt zou hebben. Toen kwam ik bij de Spullenhulp een oud tijdschrift tegen, dat ik voor vijf eurocent kocht. Daarin las ik een artikel over het verkrijgen van geluk. Onder het genot van een goed glas watsie las ik voor het eerst over de magische wet van geven, een wet waarover in Vrektown nooit gesproken mocht worden.

Van al die vrekken die hier leven, is ondanks alle rijkdom, niemand echt gelukkig. Ik zie nu elke dag om me heen dat geld niet gelukkig maakt.

Dat was ook de reden dat ik jullie vanmiddag meenam naar de begrafenis van Jing Hwa. Alles waar hij zijn leven lang voor had geknokt, verdween in handen van vrekken, die niets om hem gaven. Ik zat vanmiddag in de kerkbank en dacht na over hoe mijn eigen begrafenis over niet al te lange tijd gaat worden. Waarschijnlijk niet veel anders dan die van Jing Hwa. Misschien zullen er nog meer mensen aanwezig zijn, simpelweg omdat ik rijker ben en er meer te halen valt. Maar wie zal er een traan om mij laten? Helemaal niemand.

Door het artikel brak langzaam het besef door dat je als je niet geeft en alles maar bij je houdt, nooit liefde of geluk zult ontvangen. Daarom is Vrektown zo'n kille en grauwe plaats.'

'Heel spijtig voor u meneer Scully,' onderbrak Dio zijn verhaal.

'Dank je, jongen. Ik wil jullie de tweede magische wet van de wijsheid vertellen om ervoor te zorgen dat jullie nooit zo ongelukkig worden als ik en de andere vrekken. Het is de wet van geven.

Op aarde kennen veel mensen deze magische wet niet. Iedereen, rijk of arm, kan leren geven. Toch zie je vaak dat mensen niet alleen hun geld, maar ook hun kennis en talenten voor zichzelf houden en niet in staat zijn deze met anderen te delen.

Uiteindelijk leidt die hebzucht tot angst om te verliezen, misdaad en ruzie en is ze zelfs de basis voor oorlogen. Moeten jullie je eens voorstellen: geen enkel mens wil, als je het hem of haar vraagt, graag oorlog en toch zijn er al duizenden jaren lang door de hebzucht van mensen de meest verschrikkelijke oorlogen gevoerd.

Iedere mens, groot, klein, arm of rijk, kan geven. Dat zit bij iedereen in de genen. Als de mensheid werkelijk de wet van het geven zouden toepassen, zou er in jullie wereld geen honger of armoede meer zijn.

Het gevecht om mooie banen, geld, mobieltjes, auto's of huizen zal niet ophouden voordat mensen werkelijk leren te geven. Niet geven maakt je ongelukkig en zorgt dat je geen vrienden meer hebt. Er is genoeg menselijke denkkracht en voedsel bij jullie op de aarde om ervoor te zorgen dat niemand honger hoeft te hebben en iedereen een menswaardig bestaan kan leiden. Alleen door hebzucht en egoïsme lukt dat niet. Ik weet wat hebzucht is. De hebzucht heeft mijn leven op aarde en hier in het Rijk van Wijsheid voortdurend beheerst.

Waarom moet de ene mens vele miljoenen bezitten, terwijl het andere kind van de honger moet sterven.

De oplossing ligt in de magische wet van geven. Het geven van je talenten, je geld en je liefde is het enige wat je echt kunt achterlaten. Je krijgt er vriendschap, liefde en geluk voor terug. Als ik doodga en uit het Rijk van Wijsheid verdwijn, kom ik onherroepelijk in het rijk van Azazel terecht. Alleen omdat ik nooit heb willen geven.'

De oude man zat verslagen aan tafel, met gebogen hoofd. Dio en Aine kregen medelijden met hem. Aine stond op en sloeg haar arm om Scully's broze schouders.

'Misschien wordt u honderd en hebt u nog de tijd om te veranderen,' opperde ze.

Scully stond op om uit de secretaire een oude inktpot en een kroontjespen te gaan halen. 'Hebben jullie in de Zonnetempel een rol perkament gekregen?' vroeg hij.

'Ja,' antwoordde Dio. Hij haalde de rol uit de binnenzak van zijn jack en gaf hem aan Scully.

"De wet van geven", kraste de kroontjespen als tweede wet van de wijsheid op het perkament.

'Nu moeten jullie de derde wet gaan zoeken,' raadde Scully aan. 'Verspil geen tijd.'

'Eerst slapen,' zei Dio en Hij wenste Scully een goedenacht. 'Weltrusten Scully,' zei Aine. Ze kon maar niet in slaap vallen. Ze dacht aan haar oma. En aan het avontuur. Als ze twee wetten konden vinden, dan was het misschien ook mogelijk om de derde te vinden. Misschien kwamen ze toch nog thuis. Ze verlangde naar huis. Over twee nachten zou ze jarig zijn, dan zou haar moeder taart bakken. Waarschijnlijk was ze niet op tijd terug. Met tranen in haar ogen bedacht ze hoe bezorgd haar ouders op dit moment zouden zijn.

'Dio, Dio,' fluisterde ze.

Er kwam geen antwoord. Dio sliep.

Maandag

Toen Dio en Aine de volgende ochtend wakker werden scheen de zon door het smalle raam naar binnen. Er stoof een wolk stof de kamer in toen ze de dekens opensloegen. Ze stonden op en trokken hun kleren aan.

'Bah, ik ruik muf,' zei Aine met opgetrokken neus, terwijl ze haar haren weer in twee vlechten deed. 'Ik wil echt naar huis voor schone kleren.'

'We vertrekken zo snel mogelijk naar huis als we het PENTIUM hebben gevonden.'

'Dio, ik begin het echt zat te worden. Morgen ben ik jarig en dat wil ik thuis vieren.' Aine wist best dat ze pas een kans hadden om thuis te komen als ze de opdrachten hadden vervuld. Maar ze wilde het niet weten. Dio wist niets te zeggen, pakte de rol perkament met de twee wetten erop geschreven en stak deze in de binnenzak van zijn jack.

Het ontbijt was karig: voor iedereen twee op een open vuur geroosterde boterhammen. Niet omdat geroosterd brood zo lekker is, maar om de oude sneetjes nog enigszins eetbaar te krijgen. Ze dronken er een glas met water verdunde melk bij en maakten zich na het ontbijt meteen klaar voor vertrek. Scully gaf de nodige aanwijzingen: 'Naar rechts de hoofdstraat uitlopen en als de straat ophoudt rechtdoor blijven lopen tot jullie bij een scherpe punt komen. Dan afbuigen tot je niet meer verder kunt. Daar bevindt zich de nieuwe, voor jullie onbekende wereld.'

Dio drukte Scully de hand en Aine sloeg haar armen even om de oude man heen. Hun gastheer leek tegen zijn tranen te vechten.

'Vergeet de wet van geven niet. Misschien komt hij jullie nog van pas bij de zoektocht naar de vijf nog onontdekte magische wetten van de wijsheid.'

'We zullen u missen, Scully,' zei Aine.

Voordat ze de kluisdeur uit liepen, keken ze nog een keer naar binnen. Op een half vergane stoel zagen ze een aangeslagen, gebogen oude man zitten, die spijt had over de keuzes in zijn leven en spijt over zijn zuinigheid.

Buiten gekomen gingen Dio en Aine door de hoofdstraat op pad. Aan de overkant staarden drie vrekken met zure gezichten hen aan.

'Bah, kinderen... die kosten alleen maar geld,' hoorde Aine een van hen mompelen.

'Vandaag moeten we de derde wet vinden,' zei Dio.

'Nee, vandaag doen we er vijf in één keer. Dan ben ik morgen thuis,' zei Aine.

'Laten we dan maar tempo maken,' zei Dio en ze liepen Vrektown uit. Al snel ging de hoofdstraat over in het steppelandschap. Ze liepen stevig door. Af en toe keken ze om. De kluishuizen achter hen werden steeds kleiner.

Uren liepen ze over de vlakten. Hier en daar stond een boom. Tegen de middag begon het landschap te veranderen. De bomen werden talrijker, de temperatuur daalde en er stak een stevige wind op. In de verte zagen ze een bosrand opdoemen met grote, hoge loofbomen.

Aine ging op een boomstronk zitten en schopte haar schoenen uit. 'Ik ben moe. Waar lopen we eigenlijk heen? Zou het nog ver zijn?'

'Geen idee,' antwoordde Dio. Hij rolde het perkament open en keek op de kaart. 'Scully had het over een punt waar we moesten afslaan. Laten we maar eens kijken of Gregorius wakker is.'

Uit de binnenzak van zijn jack pakte Dio het kristallen kruis en stak het schuin omhoog.

Er gebeurde niets.

'Je bent net het vrijheidsbeeld,' zei Aine.

'Gregorius, kardinaal Gregorius,' riep Dio. 'Waar blijft u?'

Pas na vijf minuten verscheen er in de ruimte een blauwachtig verlichte gedaante. 'Hadden jullie geroepen?' vroeg kardinaal Gregorius stoïcijns.

'Ja, bent u daar eindelijk? Kardinaal Gregorius, we lopen hopeloos verloren. We vragen ons af waar we heen moeten? Is dat eikenbos daar de goede richting?'

'Volg de bosrand scherp naar links Daar zal jullie probleem zich vanzelf oplossen.'

Voor ze iets konden terugzeggen, was kardinaal Gregorius alweer verdwenen. Aine deed haar schoenen weer aan en ze volgden de linkerbosrand tot ze een houten richtingbord zagen. Ze renden eropaf. "Hatorrijk" stond erop, met een pijl in de richting van een breed bospad.

'Mooi, dat zal dan de derde wereld wel zijn,' concludeerde Dio. Ze liepen het bos in. Het was er fris en er dansten talloze veelkleurige vlinders boven het pad. Het rook er naar een pas gemaaid grasland na een regenbui op een warme zomerdag. Maar ineens rook Dio een nare lucht.

'Aine, ruik jij dat ook?'

'Wat? Ik ruik gras.'

Dio's reukvermogen was goed ontwikkeld. In een willekeurig huis kon hij ruiken of er een goede sfeer heerste. Zijn moeders parfum herkende hij blind en van grote afstand. Maar nu was hij op zijn hoede.

Er kwam hen een penetrante rioollucht tegemoet die hij niet kon thuisbrengen. 'Snel, de struiken in.' Dio duwde Aine achter het dichte struikgewas en sprong haar achterna. Toen ze daar even gezeten hadden, was de rioollucht niet meer te harden. Drie vreemde, kromgebogen mannetjes met kale koppen liepen rochelend langs. Ze hielden hun adem in, maar de mannetjes hadden niets in de gaten en liepen gewoon verder.

Dio en Aine hielden zich nog een tijd verborgen. Eindelijk verzamelde Dio moed om te gaan kijken. Er was niets meer te zien en de penetrante lucht was verdwenen.

'Spocks,' zei hij. 'Dat moeten de Spocks zijn van Azazel. Als we de wetten niet op tijd vinden, worden wij ook zo.'

Er liep een rilling over Aine's rug.'Ze stinken als mijn vaders sokken na een voetbalwedstrijd,' zei ze. 'Laten we snel verder gaan.'

Het bospad was langer dan ze hadden ingeschat. Na een scherpe bocht wachtte een verrassing.

'Kijk,' riep Dio opgewonden. 'Zo'n mooi bouwwerk heb ik nog nooit gezien.'

'Fantastisch,' stamelde Aine.

Aan het eind van het pad doemde vanuit het niets een enorm groot glazen gebouw op.

Behoedzaam liepen Dio en Aine verder. Bij elke stap nam hun verbazing toe. Onafzienbare rijen grote glasplaten werden door een torenhoog aluminium frame bijeengehouden. Het gebouw was zeker zo groot als een hele nieuwbouwwijk.

'Wat mooi,' verzuchtte Dio.

Hij bleef voor een van de wanden staan en drukte zijn neus tegen een glasplaat. In de glazen koepel wemelde het van de oude, kromgebogen mannetjes. Ze zagen er allemaal hetzelfde uit: een lange, grijze baard, puntige, grote oren en een kaal hoofd.

'Een soort kaboutervolk,' fluisterde Aine.

De oude mannetjes waren mager en ze steunden op kromme houten stokken. Traag schuifelden ze voort, alsof ze een rol hadden in een vertraagd afgespeelde film.

Drie van hen bleven staan en staarden Dio en Aine door de glasplaat verbaasd aan. Ze draaiden hun puntoren alsof ze op zoek waren naar geluidsgolven. Ze stootten elkaar aan en bekeken Dio en Aine met grote ogen. Plotseling kwamen ze in actie: ze schuifelden zo snel ze konden weg.

Aine en Dio keken elkaar aan.

'En nu?' vroeg Aine.

'Eerst maar even afwachten. Ik weet niet of we ze kunnen vertrouwen,' zei Dio.

Na enige tijd kwam het drietal terug, maar niet alleen. Zeker dertig andere mannetjes liepen achter hen aan. Kale oude mannetjes met een lange grijze baard, gekleed in een oranjerode monnikspij. En er kwamen voortdurend nieuwe bij, zodat de groep aan de andere kant van het glas alsmaar groter werd.

'We zijn echt een bezienswaardigheid, Dio. Laten we zwaaien zoals de koningin dat bij een rijtoer doet.'

'Aine, we hebben geen tijd voor spelletjes. We moeten in dit rijk een nieuwe wet van de wijsheid achterhalen, dan kunnen we hier snel weer weg.'

Alsof er een teken was gegeven weken de mannetjes plotseling naar beide kanten, zodat er een pad in de menigte ontstond. Over dit pad schreed een geheel in het rood gekleed oud mannetje naar voren. Toen hij voor Dio en Aine stond, gebaarde hij dat ze naar de ingang moesten lopen.

'Kom,' zei Dio. 'Ze zien er niet gevaarlijk uit. We wagen het erop.'

'Hartelijk welkom in het Hatorrijk.' Dat waren de eerste woorden die Dio en Aine hoorden toen ze de glazen stad betraden. Het vreemde mannetje in het rood bleek de leider te zijn.

'Ik ben koning Quinn, dat betekent "wijsheid", en ik ben de koning van het Hatorvolk. Waar komen jullie vandaan en wat brengt jullie hier in ons rijk?'

Dio schraapte zijn keel. 'Ik ben Dio en dat is Aine. We komen uit het Rijk van de Levende Geesten.'

Een gemurmel van opwinding ging door de menigte Hators heen. 'Echte mensen van de aarde,' mompelde een Hator bewonderend.

Dio sprak snel verder. 'Wij zijn hier gevangengenomen door Azazel, de heerser van het Rijk van de Dolende Geesten. Alleen als we de zeven magische wetten van de wijsheid achterhalen, kunnen we terug naar huis. We hebben daarvoor zeven dagen en zeven uur de tijd gekregen. Vandaag is het onze derde dag. De tijd dringt, er is nog veel te doen. Kunnen jullie ons helpen met de derde wet van de wijsheid?'

Koning Quinn streek bedachtzaam door zijn lange grijze baard. 'De derde wet van de wijsheid. Nooit van gehoord.'

Een geroezemoes ging door de menigte Hators heen.

'Toch moet die wet hier zijn,' zei Dio terwijl hij de perkamentrol uit zijn binnenzak haalde.

'Het spijt me. Die derde wet van de wijsheid bevindt zich niet hier. We hebben er nog nooit van gehoord.'

'Maar waar is hij dan?' vroeg Dio in paniek. 'Ik moet hem vinden.'

'Dat is niet mijn probleem, beste jongen. Veel succes met zoeken.'

Koning Quinn draaide zich om en wilde weglopen, toen er een stem vanuit de menigte Hators klonk. 'Maar jij bent de uitverkorene. Daar hebben we de uitverkorene. Ik zie het aan zijn Bhutaanse beschermketting.'

Met een ruk draaide koning Quinn zich om en keek zijn onderdanen scherp aan. 'Wie sprak daar?'

Een oude Hator schuifelde naar voren. 'Ik was het. Mijn naam is Tinga en ik ben een Bhutaanse monnik. Ik herken deze jongen aan zijn Bhutaanse beschermketting.'

Koning Quinn keek de oude Hator verbaasd aan. 'Vertel. Je maakt me nieuwsgierig.'

Tinga haalde diep adem en begon zijn verhaal.

'Ik heb deze jongen kort na zijn geboorte op aarde bezocht.'

Dio voelde zijn hart in zijn keel kloppen. Had deze monnik hem opgezocht? Dat leek bijna onmogelijk. Hij moest goed luisteren. Dit was vast geen toeval. Tinga keek hem een moment aan. 'Ik herinner het me nog heel goed. Het waaide hard die avond en onverwacht naderde er een dreigend onweer. Blauwwitte bliksemschichten en hevige donderslagen kondigden noodweer aan. Ik liep met twee andere Bhutaanse monniken door de uitgestorven wijk Flathorst. Ik was al achter in de negentig en liep zo krom dat ik bij iedere windvlaag kon omvallen. Mijn lange baard raakte bijna de grond. Ik werd ondersteund door een monnik uit ons klooster in Bhutan, die zelf toch ook al ver in de zeventig was. De derde monnik was jong en sterk.

Onze zoektocht was lang en zwaar geweest. Ooit was het allemaal begonnen in het hoogste gebergte ter wereld, de Himalaya. Daar ligt het kleine, ontoegankelijke landje Bhutan. Net buiten de hoofdstad Thimbu ligt het grootste klooster ter wereld. Op het kloosterterrein staan welgeteld 777 grote tempels. We leefden daar met tienduizenden monniken.

Ik was als monnik ingewijd in de geheime astrologische wetenschap en aan de hand van ingewikkelde berekeningen over de stand van de sterren en de planeten kon ik de toekomst voorspellen.

Op 7 juli 1995 vond er een geheime bijeenkomst plaats van de vijf grootste Bhutaanse astrologen. Deze astrologen hadden gezien dat op 7 september 1997 de negen planeten allemaal tegelijk in het dierenriemteken Leeuw zouden staan: een stand met een magische betekenis, die al ruim tweeduizend jaar niet meer was voorgekomen.

Op die geheime bijeenkomst werd vastgesteld dat er binnen 777 dagen een bijzonder kind zou worden geboren. Op 7 september 1997, om precies te zijn, om 12:07 uur.'

Dio's wangen gloeiden. De geboorte waar Tinga over sprak, was zijn geboorte geweest.

'De boodschap was dat dit bijzondere kind de zeven wijsheden zou ontdekken... mits hij niet voortijdig door het kwaad vernietigd zou worden.

We hadden een missie. We gingen opgewonden uiteen. Er werd besloten dit kind de magische Bhutaanse beschermketting te brengen. Een ketting die al eeuwenlang verborgen lag in de allerheiligste tempel van het kloostercomplex, tempel nummer 777. Deze gezegende ketting met de vijfpuntige amulet zou dit bijzondere kind levenslang beschermen tegen ongeluk en tegen de kwade geesten die het op hem gemunt kunnen hebben.'

Dio keek met grote ogen naar Tinga. Nu begreep hij eindelijk waarom zijn moeder die malle ketting zo belangrijk vond. Zou ze dan ook weten van zijn opdracht? Zou ze weten waar hij nu was? Hij luisterde vol aandacht naar het verhaal van Tinga.

'Met een groot, ceremonieel feest hebben we de duizenden jaren oude magische ketting uit de tempel gehaald. Duizenden monniken mompelden gebeden toen de poort van tempel 777 voor het eerst in driehonderd jaar krakend openging. In een holte onder een groot boeddhabeeld lag de Bhutaanse beschermketting met de vijfpuntige, stervormige amulet.

Drie monniken, van wie ik er zelf één was, werden door het lot aangewezen om de beschermketting veilig naar het kind te brengen. De voettocht naar Nederland nam meer dan twee jaar in beslag. We reisden door de Himalaya, door het Midden-Oosten en dwars door Europa. Na precies 777 dagen stonden we op 7 september 1997 voor het huis van het pasgeboren kind. Een heldere lichtflits kondigde de volgende donderslag aan en het begon te regenen.

"De duiven, de duiven," mompelden we enthousiast tegen elkaar en we wezen naar de luifel boven de voordeur.

Drie witroze gekleurde duiven bevestigden dat dit het juiste adres moest zijn. Thuis, in Bhutan, waren de duiven meermaals in onze visioenen verschenen. Het zijn afgezanten, gestuurd door de grote heerser van het universum.

Onze missie was volbracht. Ik bracht de beschermketting naar het kind en vertelde de moeder het geheim van haar bijzondere zoon.

"Uw kind is de wedergeboorte van een grote geest, waar wij allen al eeuwenlang op hebben gewacht. Hij kan de mensheid naar de zeven wetten van de wijsheid leiden. Als zijn missie slaagt, zal de mens eindelijk in staat zijn de waarheid van het leven te begrijpen. Met de kennis van deze wetten is de mens in staat grote wereldproblemen als milieu, overbevolking en armoede op te lossen."

De moeder begreep er niets van.

"U hoeft het ook niet te begrijpen," zei ik toen. "Laat het leven zijn gang gaan en accepteer de wonderen die het brengt. Maar, niet alles wat ik u vandaag te zeggen heb is positief. Er is een groot gevaar. Azazel, de grote, kwade geest zal al zijn duistere krachten en zwarte magie inzetten om te voorkomen dat de zeven wetten van de wijsheid ontdekt worden.'

Dio kon niet langer zijn mond dichthouden. 'Mijn moeder weet dus van Azazel,' riep hij uit. 'Dan komt ze ons zeker hier zoeken.'

Tinga schudde langzaam zijn hoofd en vervolgde zijn verhaal. 'Het kwaad zal voor eeuwig verslagen zijn als de mensen de zeven wetten van de wijsheid kennen. Helaas wist ook Azazel dat je geboren was. En daarom was jouw leven direct in gevaar. Ik deed je de Bhutaanse beschermketting om en heb je moeder gezegd dat jij de ketting dag en nacht moest dragen. Die zou ervoor zorgen dat je voldoende beschermd was tegen Azazel. Zodra je de ketting af zou doen, zou het kwaad kunnen toeslaan en je vermoorden.

Met het omhangen van de ketting was ons levensdoel volbracht.'

Tinga zweeg en boog zijn hoofd.

'Dat verandert de zaak,' zei koning Quinn en hij wreef over zijn kin. 'Ik dacht dat Azazel jullie gestuurd had, daarom wilde ik niets vertellen. Maar de derde magische wet van de wijsheid is wel degelijk in ons bezit.'

Hij overlegde even met de Hator naast hem en daarna keek hij Dio en Aine met een glimlach aan. 'Uiteindelijk overwint het goede het kwade. Alleen als jullie wijsheid kunnen tonen, zullen mijn volk en ik de woede van Azazel trotseren. Wees welkom in ons Hatorrijk. Jullie zijn voor één dag mijn eregasten.'

Langzaam liepen Dio en Aine achter koning Quinn aan door diens glazen rijk. Ze verbaasden zich over de onmetelijk lange rijen met boeken die naast de gangpaden stonden opgesteld. Boeken, boeken en nog eens boeken. Overal waar ze keken stonden boeken. Aan grote leestafels zaten Hators voorover gebogen te lezen. Sommigen hadden een bril op, anderen lazen zelfs met een loep. Maar iedereen las.

Nu liepen ze door de Chinese sector. Weer overal boeken, dit keer met Chinese karakters op het kaft. Er waren boeken bij die duizenden jaar oud leken te zijn, maar ook moderne pockets. De Hators die in de Chinese sector aan het lezen waren hadden Chinese gelaatstrekken. De verbazing van de Dio en Aine werd met elke stap groter.

Geen huizen, geen winkels of eetgelegenheden in dit glazen rijk, alleen maar rijen met boeken en grote tafels met lezende Hators. De zon scheen fel door de glazen koepel naar binnen, maar binnen was het aangenaam koel. Af en toe stond een Hator op en liep traag naar de boekenkast of naar een volgende sector om een nieuw boek te pakken.

Het schoot niet echt op. Na een wandeling van een uur, vooral door het trage schuifelen van koning Quinn, bereikten ze uiteindelijk de middelste sector van het glazen rijk.

'Dit is de koningskoepel van het Hatorrijk,' legde koning Quinn uit. 'Het werk van alle grote schrijvers, genieën en ontdekkers ligt hier opgeslagen.'

Ze liepen langs de kasten en zagen boeken van Leonardo da Vinci en Plato. Er was een hele boekenkast vol met Albert Einstein.

Dio werd bij het zien van al die boeken steeds enthousiaster en wilde gaan lezen. Eindelijk een onbekende wereld die hem na aan het hart lag. Zoveel kennis had hij nog nooit bijeen gezien.

Koning Quinn nam plaats op een grote troon die midden in de koningskoepel stond en die helemaal was opgebouwd uit boeken. Zijn secretaris ging aan een klein notenhouten tafel naast de troon zitten en pakte een groot schrijfboek om alles te noteren wat er werd gezegd. Koning Quinn gebaarde Dio en Aine dat ze op de grond moesten gaan zitten.

'Waar komen de Hators vandaan?' vroeg Dio nieuwsgierig.

'Wij zijn het volk dat het eeuwige leven heeft,' antwoordde koning Quinn. 'De Hators zijn de meest wijze mensen uit jullie wereld van de levende geesten. Als op aarde een wijs mens doodgaat, komt hij in de wachtkamer van het Hatorrijk terecht.'

'Zit Plato hier ook?'

'Jazeker,' grinnikte koning Quinn. 'In het Griekse deel van ons rijk.'

'Hoe oud bent u zelf?'

'Ik ben op aarde geboren op 6 juni 1672.'

'Het Hatorrijk heeft in het heelal een belangrijke taak te vervullen. Van alle boeken die ooit ergens op aarde of op een van de andere planeten zijn uitgegeven, is hier in het Hatorrijk een exemplaar. Stel je maar voor: van alle boeken uit Rusland, China, Amerika en Nederland. Maar ook van de oude perkamentrollen uit het vroegere Egypte. Van alle geschriften is in dit rijk een exemplaar.

Alle kennis uit alle culturen op aarde ligt hier opgeslagen. En ook alle boeken van verre planeten die jullie op aarde niet eens kennen omdat ze zo ver liggen, zijn in het Hatorrijk opgeslagen.'

'Wow,' was het enige wat Dio kon uitbrengen.

'En nu kom ik bij het meest bijzondere van het Hatorrijk. Er liggen hier niet alleen boeken en manuscripten uit het verleden en heden opgeslagen, maar ook toekomstige boeken. Als hologram. Alles wat bij jullie op aarde nog ontdekt gaat worden, is hier dus al voorhanden. En al die kennis en wijsheid slaan we op in onze hersens. En dat is de reden dat wij in verhouding tot ons lichaam een groot hoofd hebben en waarom alleen heel wijze mannen na hun dood Hator kunnen worden. Onze hersens zijn volgestopt met allerlei kennis en wijsheid uit het verleden, heden en toekomst.'

'Als jullie inzicht in de toekomstige boeken hebben, dan weten jullie ook wat er gaat gebeuren op aarde,' zei Dio met een nieuwsgierige ondertoon.

'Dat weten we inderdaad, ja. Helaas voor jullie hebben we een strikte geheimhoudingsplicht. Als we jullie daar iets over zouden vertellen, zou dat het einde betekenen van het Hatorvolk. Zodra we iets over de toekomst vertellen, zal de zon nooit meer opkomen in het Hatorrijk.'

'Ik zie nergens huizen, waar wonen jullie eigenlijk?' vroeg Aine.

'Wij hebben geen huizen. Deze glazen koepel met boeken is ons huis. In tegenstelling tot de mensen uit het rijk der levende geesten hoeven wij niet te eten en te drinken.'

'Wie eet er nu niet,' riep Aine vol ongeloof. 'Waar leven jullie dan van?'

'Wij leven van het zonlicht dat door de glazen koepel naar binnen valt. Zodra het donker wordt, vallen we direct in slaap en we worden pas weer wakker als de zon opkomt. Zo werken en leven we, dag in, dag uit, tot in de eeuwigheid.'

Onrustig bewoog Dio heen en weer. De eeuwigheid. Zoveel tijd had hij niet. Hij had haast. 'Kunt u ons de derde wet van de wijsheid vertellen?' Hij voelde de tijdsdruk en wilde eigenlijk zo snel mogelijk naar huis.

Koning Quinn dacht een moment na en knikte toen met zijn hoofd. 'Dat zou ik wel willen, maar dat kan ik niet zomaar doen. Ik moet eerst zeker weten dat jullie de uitverkorenen zijn. Jullie moeten een taak volbrengen. Een bijzondere opdracht, een test.'

De ogen van de koning ogen schoten snel heen en weer tot er een glimlach op zijn oude, getaande gezicht verscheen. 'Ik heb drie vragen: een vraag uit het verleden, een vraag uit het heden en een vraag uit de toekomst. Als jullie mij morgenochtend bij zonsopgang de juiste antwoorden geven, geef ik jullie de derde wet van de wijsheid.'

De koning keek even naar de secretaris. 'Noteer de vragen,' beval hij hem.

'Eerst de vraag uit het verleden. Waar komt de naam Hator vandaan?

De tweede vraag is er een uit het heden. Waarom zoekt water altijd het laagste punt op?

De derde en laatste vraag gaat over de toekomst. Hoeveel oorlogsslachtoffers zullen er in het jaar 2135 zijn in het Rijk van de Levende Geesten?'

De secretaris schreef de drie vragen heel precies op.

'Morgenvroeg, bij zonsopgang, wil ik de antwoorden op de vragen horen.' De koning wenkte zijn secretaris. 'Zoek uit of Dio Stijfpoot of Aine Driehuis in de toekomst een boek heeft geschreven.'

'Zeker,' antwoordde de secretaris en hij slofte langzaam weg.

De late middagzon verdween achter de bomen en het werd begon donker te worden in de glazen koepel. De trage Hators werden nu nog trager. Koning Quinn sprak nu langzaam: 'Vergeet... de... vragen... niet... te... be... antwoorden... Het... is... jullie... enige... kans... om... inzicht... te... krijgen... in... de... derde... magische... wet... van... de... wijsheid.'

De zon was nu geheel verdwenen en het hoofd van koning Quinn zakte langzaam op zijn borst. Het was stil geworden in het Hatorrijk. Overal lagen Hators te slapen, aan de leestafels, in de gangen en voor de boekenkasten.

Aine zuchtte. 'En nu? Ik kan niet op licht leven, hoor. Ik heb honger!'

'Ik zal gaan kijken of er wat te eten is,' zei Dio en hij verdween tussen de boeken.

Net voordat het helemaal donker werd in de koepel, kwam Dio weer teruggelopen. 'Ik heb alleen maar slapende Hators gezien en ik ben bang dat er niets te eten is. Heb je al over de vragen nagedacht?'

'Ja, meneer, natuurlijk meneer,' zei Aine nijdig. 'Ik zit hier tussen de snurkende Hators en ik wil naar huis. Ik ben het helemaal beu, ik wil mijn eigen lekkere bed weer voelen. Dat houdt me meer bezig dan die vragen en zeker die vraag over de toekomst.'

Dio trok zich niets van Aine's woorden aan. 'Laten we goed nadenken. De vraag over het water is het makkelijkst. Waarom zoekt water altijd het laagste punt op? Nou, water volgt altijd de zwaartekracht en dan is naar beneden altijd de makkelijkste weg.'

'Wel een rare vraag,' zei Aine.

'Ja, ik begrijp het ook niet helemaal,' antwoordde Dio. 'Gelukkig weten we het antwoord. Hoe ging die andere vraag ook alweer?'

'Hoeveel oorlogsslachtoffers zullen er in het jaar 2135 op aarde zijn?'

Dio streek door zijn haar. Hij had geen idee.

'Een paar miljoen,' schatte Aine.

Dio schudde zijn hoofd. 'Nee, Aine, dat klopt niet. Laten we nog eens goed nadenken.'

Weer was het een hele tijd stil. Het werd snel kouder in het Hatorrijk. Alleen Dio's hersens werkten nog op volle toeren.

'Ik weet het, Aine. Ik denk dat ik het weet,' riep Dio enthousiast. 'Stel dat we erin slagen om de zeven wetten van de wijsheid en het PENTIUM tijdig te vinden, dan zullen alle mensen de wetten leren kennen en dan zal de oorlog uiteindelijk tot het verleden behoren. En als je geen oorlogen hebt, zijn er ook geen oorlogsslachtoffers meer. Als iedereen echt gaat geven, zoals we in Vrektown geleerd hebben, waarom zouden de mensen dan nog oorlog voeren? Ik denk dus dat er in 2135 helemaal geen oorlogen zullen zijn, en dus ook geen slachtoffers.'

'Ik hoop het,' zei Aine. 'Laten we dat antwoord maar geven.'

Nu bogen ze zich over de laatste vraag. Maar hoe ze ook nadachten over de herkomst van de naam Hator, ze wisten het niet.

Aine's gedachten dwaalden af. Ze waren in de piramide geweest, in Vrektown en nu bij de Hators. Als ze hier vastliepen, kwamen ze nooit meer thuis... Piramides...? Wacht eens. 'Dio, zou het iets met de Zonnetempel te maken kunnen hebben?'

'Hoezo?'

'Nou, farao Ramses II heeft ons toch verteld over Hator, die godin was van het hemelrijk en later van de vruchtbaarheid?'

Dio sprong op. 'Aine, je bent geniaal! We hebben de antwoorden. We gaan door naar de volgende ronde!'

'Wat is het antwoord dan?' vroeg Aine.

'De godin uit het oude Egyptische rijk, natuurlijk,' antwoordde Dio.

'Nou, ik hoop het want ik wil snel naar huis,' zei Aine somber. 'Laten we maar gaan slapen.'

Ze gingen op de grond liggen en om zichzelf warm te houden in de steeds killer wordende glazen koepel kropen Dio en Aine dicht tegen elkaar aan. Dio sliep al bijna toen hij Aine hoorde huilen.

'Wat is er, Aine?'

'Ik mis mama en papa zo erg. Ik wil naar huis,' snikte ze. 'Taart eten met mijn moeder op mijn eigen verjaardag.'

Dio sloeg zijn arm om Aine heen. Hij wist niet goed wat hij moest doen. 'Ga nu maar slapen. Morgen gaan we naar een nieuwe wereld en dan gelijk naar huis.'

'Echt, Dio?'

'Beloofd!'

Dinsdag

De volgende dag werd Dio versteend van de kou wakker. Hij rilde. Er kwamen witte wolkjes uit zijn mond als hij uitademde. Het moest die nacht gevroren hebben. Alle Hators waren nog in diepe rust.

Zodra de eerste zonnestralen binnenvielen werden de Hators wakker en gingen direct door met de dingen waar ze gisteren mee waren geëindigd, alsof er geen slaap was geweest. In de verte kwam de secretaris aangesloft.

Aine werd nu ook wakker.

'En?' vroeg ze.

Dio keek haar niet-begrijpend aan.

'Ik ben jarig, stommie!'

'Tjee, sorry.' Dio pakte haar beet en gaf haar drie kussen op haar wang. 'Gefeliciteerd.'

'Dank je. Ik had nooit gedacht dat ik mijn tiende verjaardag in het Hatorrijk zou vieren. Wie is er nou niet thuis op zijn eigen verjaardag? Stommer kan het niet.'

De secretaris kwam weer naar de troon gesloft.

'En...' vroeg koning Quinn.

'Ik heb op de naam van Dio Stijfpoot een boek gevonden uit het jaar 2008.'

'Dat is prachtig... geweldig, een toekomstig boek dus,' zei koning Quinn enthousiast. 'Maar voor we naar de sector van de toekomstige boeken gaan, wil ik de antwoorden op de drie vragen horen. Meneer de secretaris, mag ik van u de vragen?'

'Vraag één,' riep de secretaris. 'Waar komt de naam "Hator" vandaan?'

'Van de godin Hator uit het oude Egyptische rijk,' antwoordde Aine.

'Dat is correct,' zei koning Quinn voorzichtig, met half dichtgeknepen ogen.

De secretaris kondigde de tweede vraag aan: 'Waarom zoekt water altijd het laagste punt op?'

'Dat weet ik,' zei Dio. 'Water zoekt altijd de gemakkelijkste weg. In het Rijk van de Levende Geesten wordt dat veroorzaakt door de zwaartekracht.'

'Weer correct. Hoe weten jullie dat eigenlijk? Jullie zijn nog zo jong.' De koning klonk heel verbaasd. 'De moeilijkste vraag gaat over de toekomst.'

De secretaris dreunde de derde vraag op: 'Hoeveel oorlogsslachtoffers zullen er in het jaar 2135 zijn in het Rijk van de Levende Geesten?'

'Dan zijn er geen oorlogen meer en dus ook geen oorlogsslachtoffers,' antwoordde Dio.

Koning Quinn knikte bevestigend. 'Heel slim. Jullie verrassen me. Ik heb altijd gedacht dat alleen oude mensen wijs waren.'

Dio en Aine keken elkaar trots aan.

'Gefeliciteerd. Nu zijn jullie klaar voor de derde magische wet van de wijsheid. Daarvoor gaan we naar de sector van de toekomstige boeken.'

‘Ik ben benieuwd wat ik ooit zal gaan schrijven,’ fluisterde Dio tegen Aine. ‘En als ik in 2008 een boek heb geschreven, dan betekent het ook dat we dit hier overleven.’

‘Dat is je geraden,’ zei Aine

Traag schuifelde het gezelschap door de glazen koepel. Hier en daar keek een Hator verstoord op uit zijn boek als het viertal langsliep. De sector toekomstige boeken zag er totaal anders uit dan de andere sectoren. De boeken bestonden uit een dikke metalen plaat waar twee knoppen op zaten: een groene om het hologramboek tevoorschijn te laten komen en om door de tekst te kunnen bladeren, en een rode om het weer in de metalen plaat te laten verdwijnen. Bij een rij boekenkasten waar het jaar 2008 op aangegeven stond hield koning Quinn halt. Zijn secretaris schoot naar voren en pakte bij de letter S een metalen plaat en legde die voorzichtig op een grote leestafel.

‘Het is niet geoorloofd dat jullie dit boek helemaal gaan lezen. Wel geef ik jullie toestemming om uit dit boek de derde magische wet van de wijsheid te leren.’

‘Hoe kan ik die in de toekomst hebben opgeschreven als u hem me nu niet hebt verteld?’ vroeg Dio, die helemaal in verwarring was.

‘Je hebt het zelf geschreven in het jaar 2008, dus weet je er alles van.’

Dio begreep het nog steeds niet echt. De secretaris drukte op de groene knop en prompt verscheen er in een blauw hologram het boekomslag. *De zeven magische wetten van de wijsheid* stond er als titel te lezen. En daaronder de naam van de auteur: Dio Stijfpoot.

De secretaris was zichtbaar tevreden. Hij drukte nog drie keer op de groene knop. In het hologram werden de bladzijden in hoog tempo omgeslagen. Bij pagina 53 stopte het boek. 'Hoofdstuk 3 – De derde magische wet van de wijsheid' stond er boven aan de bladzijde.

Dio en Aine gingen zitten en lazen samen in Dio's toekomstige boek. De derde wet van de wijsheid was de wet van de minste weerstand.

Deze wet is gebaseerd op de natuur. De natuur is zo ingericht dat ze altijd de weg van de minste weerstand zoekt. Water zal altijd naar het laagste punt stromen om zich aan de wet van de minste weerstand houden. En dat geldt niet alleen voor water, maar voor de hele natuur en eigenlijk het heelal. Alles is erop gericht om met een minimale inspanning een maximaal resultaat te bereiken.

De natuur werkt altijd op zo'n manier dat het weinig moeite kost. Hoe anders gaat het vaak in een mensenleven. Hoeveel energie wordt er niet verspild doordat de mens telkens weer de moeilijke weg kiest? Er is een natuurwet, die het leven niet moeilijker, maar juist makkelijker maakt: de wet van de minste weerstand.

Niet jij als mens, maar de omstandigheden en gebeurtenissen bepalen welk pad je moet volgen. Hoe meer jij je best doet en je verzet tegen wat er op je pad komt, hoe groter de kans op mislukking is. Ieder mens moet zijn eigen weg volgen. Er overkomen je dagelijks dingen en elke dag komen er kansen voorbij. Die kansen moet je wíllen zien en er iets mee doen, zoals water de rivierbedding volgt.

Het leven wordt er minder onvoorspelbaar door, maar eigenlijk ook veel leuker. Je leeft meer bij het geluk en plezier van elke dag.

'Begrijpen jullie de derde wet van de wijsheid?' vroeg koning Quinn.

'Ja, we moeten gewoon zo min mogelijk doen,' zei Aine.

'Dat klopt: doe minder en bereik meer. Dat is de derde wet van de wijsheid.'

'Dat is mooi,' lachte Dio. 'Nooit meer hard werken en je best doen op school.'

'De wet is niet bedoeld om maar lekker lui te gaan leven,' vertelde koning Quinn. 'Je moet alleen die dingen doen die op dat moment op je pad komen. En dat kan keihard werken betekenen. Probeer plezier te maken en liefde te geven aan iedereen die in je leven verschijnt. Dát is waar de derde wet van de wijsheid over gaat.'

Dio pakte de perkamenten rol uit zijn binnenzak en gaf hem aan de secretaris, die er in schoonschrift de derde wet van de wijsheid op schreef. Daarna drukte hij op de rode knop. Het hologram verdween in de metalen plaat en de secretaris legde het boek weer in de kast. Dio keek er weemoedig naar. Wat had hij graag zijn toekomstige boek meegenomen en helemaal uitgelezen. In ieder geval wist hij nu dat hij in de toekomst een boek zou schrijven. Die gedachte maakte hem helemaal vrolijk. Dat betekende hoe dan ook dat ze hieruit zouden komen. Of niet soms? De twijfel sloeg toe. Het kon natuurlijk allemaal nog mis gaan.

'De tijd dringt,' zei koning Quinn.

'Jullie zijn nu klaar om het vierde rijk te zoeken. Ga als je ons glazen rijk uit bent naar het stenen pad. Dat loop je helemaal af. Na een paar uur zal het een scherpe bocht maken en aan het einde daarvan zullen jullie de volgende wereld ontdekken. Met een beetje tempo kunnen jullie er net voor donker zijn.'

Dio en Aine namen afscheid van koning Quinn en zijn secretaris. 'Dank u voor de derde wet van de wijsheid. U bent een wijs mens,' zei Aine.

'Doet u de monnik Tinga de hartelijke groeten van mij,' voegde Dio eraan toe.

'Voor ik het vergeet,' riep koning Quinn hen na. 'Ik heb wel eens horen vertellen dat de volgende wereld heel wat minder vriendelijk voor jullie zal zijn.'

De zon was nog niet helemaal doorgebroken en het was fris buiten. Dio en Aine liepen in de aangegeven richting naar het stenen pad. De Hators keken verbaasd op uit hun boeken. Dio en Aine groetten hen vriendelijk en wandelden snel door. Aine was over haar dip van gisteravond heen. Ze had zich voorgenomen er vandaag het beste van te maken. Het was tenslotte haar verjaardag.

Na een halfuur bereikten ze het geplaveide pad waar koning Quinn over had gesproken. Het richtingbord gaf twee bestemmingen aan. De aanwijzing 'Cubedal' wees in de richting van het stenen pad. De aanduiding 'Fruitbomenparadijs' wees in de richting van een smal bospaadje.

'Dat lijkt me geen moeilijke keuze. Ik stik van de honger,' zei Aine. 'En aangezien ik vandaag jarig ben, heb ik het voor het zeggen.'

Dio had haast. Hij was liever direct doorgelopen in de richting van Cubedal, maar Aine had gelijk. Hij kon er niets tegen inbrengen.

Ze liepen het bos in over het smalle paadje, dat uitkwam op een open plek met prachtige fruitbomen vol laaghangend rijp fruit. Er stonden appelbomen, perenbomen, maar ook tropische bananenbomen en lage struiken waar sappige, prachtig oranje gekleurde sinaasappelen aan hingen.

'Het paradijs,' riep Aine terwijl ze haar armen hoog de lucht in stak. 'En dat op mijn verjaardag!'

Nu pas merkte ook Dio hoe groot zijn honger was. Ze plukten zoveel vruchten als ze konden dragen en gingen ermee in de schaduw van een appelboom zitten.

'En,' vroeg Aine, terwijl ze in een peer beet. Het sap liep over haar kin.

'Wat "en"?'

'Zou je niet voor me zingen? Ik ben jarig vandaag, weet je nog?'

Verlegen zong Dio 'Lang zal ze leven'.

'Bedankt! Ben ik toch nog een beetje jarig. Heerlijk is het hier. Kunnen we hier niet blijven?'

Dio sprong overeind. 'Nee, kom mee Aine. We hebben haast.'

Aine plukte een tros bananen en liep achter Dio aan terug naar het brede, geplaveide pad dat hen naar Cubedal zou brengen. Snel hapte ze in een banaan.

De rest van de dag sjouwden ze over het kilometers lange, kaarsrechte pad. Ze gunden zichzelf nauwelijks een pauze. Dio liep voorop en Aine kwam met haar op en neer zwaaiende blonde vlechten achter hem aan. De afgelopen dagen hadden eigenlijk wel hun tol geëist.

'Ik ben moe,' klaagde Aine. 'Wanneer zijn we in Cubedal? Wel een rare naam, zeg. Hoe zou het er daar uitzien, Dio?'

'Geen idee. Misschien heeft de naam iets met een kubus te maken,' antwoordde Dio, die ook moe was.

En verder, alsmaar verder, sjokten ze achter elkaar aan.

'Lang zal ze leven,' neuriede Aine zachtjes voor zich uit. Ondanks alles voelde ze zich toch een beetje jarig. 'Wat zou het leuk zijn om thuis een nieuwe game te spelen,' zei ze met een verlangende blik in haar ogen. 'Ik weet zeker dat papa en mama er een voor mijn verjaardag hebben gekocht.'

Dat lukt pas als we dat PENTIUM gevonden hebben, dacht Dio. En eerst moeten we die andere wetten van de wijsheid nog gaan zoeken. Maar hij sprak zijn gedachten niet uit. Hij wilde het niet nog moeilijker maken voor Aine.

Tegen het einde van de dag bereikten ze eindelijk het einde van het bos. Ze kwamen in een rotsachtige omgeving terecht.

De rotsblokken langs het pad hadden steeds vaker een vierkante vorm. Toen ze er eenmaal op gingen letten, bleek eigenlijk alles wat ze zagen vierkant van vorm te zijn. De rotsen hadden kleine, vierkante bloemetjes, de bomen hadden vierkante kruinen op hun vierkant geschaafde stammen en er waren vierkante struiken met vierkante rode besjes. Zelfs de ondergaande zon aan de horizon had zijn mooie ronde vorm verruild voor een vierkant geel vlak. In de lucht vlogen vierkant gevleugelde vogeltjes.

Dit was een totaal andere wereld dan de werelden die Dio en Aine tot nu toe hadden gezien. Vol verbazing keken ze naar de vreemde omgeving.

'Wat gek, zo'n vierkante wereld,' zei Dio. 'We vallen hier wel uit de toon, met onze ronde vormen.'

'Het is hier niet goed, Dio, ik voel het. Laten we omkeren.'

'Dan missen we de vierde wet van de wijsheid. Nee, Aine, we moeten volhouden.'

Aine zuchtte. Ze wist dat ze geen keuze hadden. 'Laten we kardinaal Gregorius raadplegen,' stelde ze voor. 'Misschien kan hij ons iets vertellen over Cubedal.'

Dio stak zijn kristallen kruis in de lucht, maar verscheen er geen geest in de vorm van kardinaal Gregorius.

'Hij ligt zeker weer te slapen,' grinnikte Aine.

'Wat zei je daar, jongedame?' Als in een flits was kardinaal Gregorius in het blauwwitte licht verschenen.

'O, niets,' antwoordde Aine. Ze durfde haar uitspraak niet te herhalen. Ze was bang dat de kardinaal hen niet meer zou willen helpen.

'Kardinaal, kunt u ons iets over Cubedal vertellen?' vroeg Dio.

Kardinaal Gregorius knikte bevestigend. 'Dit is een gevaarlijke wereld voor jullie. De vierkante mannen die in dit rijk wonen zullen jullie, als ze de kans krijgen, vangen om jullie levend en wel met scherpe messen vierkant te snijden.'

'Niet normaal, toch. Ik vind het eng. Ik wil weg!' riep Aine.

Kardinaal Gregorius hief bezwerend zijn handen op. 'O, nee. Dat kan niet. In Cubedal ligt de vierde wet van de wijsheid. Jullie hebben ook deze wet nodig om het PENTIUM te kunnen bemachtigen. Jullie moeten doorzetten, niet wegrennen nu jullie al zover zijn. De wetten zijn niet zomaar door iedereen te bemachtigen. Jullie moed en doorzettingsvermogen zullen hier in dit rijk getest worden. Veel succes. Maar pas alsjeblieft goed op jezelf.'

Zo plotseling als kardinaal Gregorius er was, was hij ook weer opgelost in het niets.

'Eerst maar eens een wapen zoeken,' zei Dio manmoedig. Hij stond op en even later kwam hij met twee zware, rechthoekige boomtakken terug.

Aine proestte het uit. 'Wat een Superman.'

'Lach me niet uit,' zei Dio beledigd. 'Ik kan die vierkante kerels wel aan. We moeten die wet ontdekken en dan wegwezen.'

Op hun hoede gingen ze verder. In de verte doemden de eerste lemen huizen op. Ze waren allemaal vierkant van vorm. Het dorp leek uitgestorven.

'Ik zie niemand,' fluisterde Aine.

‘Ssst, stil,’ commandeerde Dio.

Ze slopen langs een groepje bomen toen overal mannen aan kwamen rennen. Honderden grote mannen met brede, vierkante lichamen en vierkante gezichten. In hoog tempo sloten ze Dio en Aine in.

‘Rennen,’ schreeuwde Dio nog, maar het was al te laat. Er was geen enkele opening in het cordon van mannen, die hen omsingelden.

Met zware, gelijkmatige tred kwamen de vierkantmannen dichterbij, stapje voor stapje. Ze keken woest voor zich uit en dreigden met hun scherpe, vierkante speren. Verzet was zinloos, en Dio en Aine lieten hun stokken op de grond vallen. Ze waren nu helemaal ingesloten. Er klonk nog altijd geen enkel geluid. Een onheilspellende stilte leek de voorbode van een orkaan.

De aanvoerder van de mannen stapte naar voren. ‘Jullie zijn rond,’ schreeuwde hij hysterisch.

Dio en Aine keken hem angstig aan. Dio’s hersens werkten op topsnelheid. Waar konden ze nog heen? Wat was slim om te doen?

‘Jullie zijn rond,’ schreeuwde de man opnieuw, met overslaande stem. ‘Jullie zijn een gevaar voor Cubedal. Daarom nemen we jullie mee naar de hogepriester om jullie vierkant te laten snijden.’

Aine kroop achter Dio’s rug weg.

De aanvoerder stapte naar voren en duwde Dio ruw weg. Hij pakte Aine bij haar kin en keek haar keurend aan.

‘Dit gezicht kunnen we wel bewerken,’ zei hij, alsof Aine een pop van boetseerklei was. ‘Het lichaam wordt een lastig karwei, maar onze hogepriester is oud en ervaren. We hoeven ze nu niet te doden, mannen.’ Hij liet de kin van Aine los, draaide zich om: 'Neem ze gevangen en breng ze bij de hogepriester. Bewaak ze goed. Ze mogen het daglicht niet meer zien totdat ze allebei helemaal vierkant zijn. Oef! Ik ben helemaal misselijk geworden van hun ronde vormen.'

Tien brede, vierkant geschouderde mannen richtten hun speren op Dio en Aine en dwongen hen naar het dorp te lopen. In het dorp stond een groepje vierkantkinderen hen al op te wachten.

'Rond is ongezond, rond is ongezond,' zongen ze pestend. Een bewaker schopte een vierkante kip, die midden op straat haar eieren zat uit te broeden, aan de kant. Moeders riepen verschrikt hun kroost naar binnen bij het zien van Dio en Aine. Een jongetje kreeg een tik om zijn oren. 'Stoute Lars, je bent nog veel te jong om rond te mogen zien,' zei zijn moeder boos tegen hem en ze trok hem naar binnen.

Bij een grote vierkante hut midden in het dorp bleef het gezelschap staan. Een bewaker klopte op de vierkante deur.

'Binnen,' riep een krassende stem.

De bewaker duwde de deur open. Binnen zat een vierkante grijsaard.

'We hebben een rond project voor u, Quatrième.'

De bewakers duwden Aine en Dio met een vies gezicht naar binnen. Verbaasd stond de grijsaard op. 'Dat is bijzonder, dat is heel bijzonder,' mompelde hij alsmaar in zichzelf.

Dio zag in de hoek van de kamer een grote, vierkante operatietafel met een rek vol enge instrumenten en scherpe messen erachter. Hij moest er niet aan denken wat deze oude kerel met hen van plan was. Hij had zich ooit aan zijn zakmes gesneden, wat al bloederig en pijnlijk was geweest. Het idee dat hij levend in een vierkante vorm gesneden zou worden, maakte hem tegelijk misselijk en verschrikkelijk bang.

'Dat is bijzonder,' mompelde de grijsaard weer, nu zichtbaar verrukt, 'heel bijzonder. Sluit ze op in de kelder. Morgen gaan ze allebei onder het mes.' En met die woorden liep hij naar de grote vleesmessen en ging ze alvast scherp slijpen.

Even later zaten Aine en Dio in een cel in de kelder.

'Ik ben misselijk,' jammerde Aine. 'Ik wil naar huis. Dit is echt niet leuk meer.'

'Dat kan helaas niet,' antwoordde Dio.

'Nee, natuurlijk kan dat niet,' tierde Aine. 'Ik zit hier op mijn verjaardag in een cel te wachten totdat ze me met een mes gaan bewerken. Ik ben je vriendin niet meer en ik wil je nooit meer zien. Het is allemaal jouw schuld.'

Kwaad schoof Aine haar kruk naar de andere kant van de cel. Dio zuchtte diep. Vergeefs zocht hij naar een oplossing. 'We moeten in ieder geval voor morgenochtend ontsnappen. Ik weet alleen niet hoe. Ik zal toch kardinaal Gregorius weer eens om hulp moeten vragen.'

Dio pakte het kristallen kruis en hield het schuin omhoog. Tot zijn verrassing verscheen kardinaal Gregorius dit keer vrijwel direct. 'Ik had het jullie toch gezegd,' begon hij.

Dio liet hem niet uitspreken. 'Help ons, alstublieft.'

'Ach, een vierkant hoofd zal je goed staan,' grinnikte de kardinaal.

Aine keek hem met een vernietigende blik aan, maar durfde geen ruzie te maken.

'Jullie hebben geluk,' zei kardinaal Gregorius. 'Jullie zijn blijkbaar voor het geluk geboren.'

Verbaasd keek Dio hem aan. 'Hoezo geluk? We zitten hier als ratten in een cel. Hoeveel mazzel kun je hebben!'

De kardinaal glimlachte. 'Ik zal het uitleggen. Het vierkantvolk van Cubedal heeft namelijk een groot mollenprobleem.'

'Wat hebben mollen er nu mee te maken?' vroeg Aine.

'Heb geduld en luister. Diep onder Cubedal leven mensgrote mollen in onderaardse gangen. Alles aan deze mollen is rond, waardoor ze goed kunnen graven; ronde lijven, ronde snuiten en ronde poten. Het vierkantvolk maakt al eeuwen jacht op de mollen en probeert ze uit te roeien. Er wordt op ze gejaagd om hun warme, zachte vacht, maar vooral om de poten. Het vierkantvolk gelooft dat een behaard, rond mollenpootje geluk brengt als je het aan een koord om je nek hangt. Het is het enige ronde ding dat bij het vierkantvolk geliefd is.

Er zijn echter te weinig mollen om iedereen van een talisman te voorzien. Daarom wordt er door het vierkantvolk het hele jaar door jacht gemaakt op de mollen. Elke gedode mol levert vier talismans op.'

Aine en Dio zaten ademloos te luisteren, maar begrepen niet waar kardinaal Gregorius naartoe wilde.

'Slechts één keer per jaar...' ging kardinaal Gregorius geheimzinnig verder, 'gebeurt er iets ongelooflijks. Iets waar eigenlijk niet over gesproken mag worden.'

Gespannen keken Dio en Aine naar de kardinaal.

'Hebben jullie wel eens van weerwolven gehoord?'

'Ja,' antwoordde Dio. Hij kon zich nog goed een film over weerwolven herinneren. 'Dat zijn mensen die de gedaante aannemen van wolven. Bij volle maan komen ze tevoorschijn en dan wordt iedereen die door een weerwolf wordt gebeten er zelf ook een,' ratelde Dio.

'Je bent goed op de hoogte, jongen' zei de kardinaal bewonderend. 'Nou hebben ze in Cubedal iets wat erop lijkt. Geen weerwolven, maar weermollen. Eens per jaar, bij volle maan, op de zevende dag in de zevende maand, komen de mensgrote mollen uit hun ondergrondse gangen tevoorschijn en dan veranderen ze in gevaarlijke weermollen die de vierkante inwoners van Cubedal aanvallen. Iedereen die in dit rijk door een weermol wordt gebeten, verdwijnt.'

'Waar naartoe?' vroeg Dio. 'Wat denk je? Iedereen wordt na een beet zelf een weermol. De vierkantmensen zijn erg bang voor weermollen. En dat is jullie geluk. Het is vanavond volle maan, en bovendien is het de zevende dag van de zevende maand van het jaar.'

'Dus vanavond gaan alle vierkantmensen zich verstoppen,' riep Dio hoopvol.

'Precies. De angst voor weermollen zit hier heel diep. Dat is de reden dat ze het hele jaar door op de mollen jagen. Elke dode mol is een weermol minder, zo redeneert men hier. Vanavond zal er na tienen geen enkele vierkantman meer op straat te vinden zijn. Dan hebben jullie de mogelijkheid om te ontsnappen. Het is jullie enige kans. Jullie moeten wel klokslag twaalf uur Cubedal uit zijn om niet zelf slachtoffer te worden van een weermol.'

Kardinaal Gregorius maakte aanstalten om te verdwijnen, maar Dio hield hem tegen. 'Hoe komen we deze gevangenis uit?'

'Wacht tot tien uur tot iedereen zich heeft verstopt. Jullie smalle handen kunnen net door het etensgat van de gevangenisdeur.' De kardinaal wees naar een hoek van de cel. 'Met dat stokje kan een van jullie de sleutel van het haakje lichten. Dan kunnen jullie zelf de celdeur van binnenuit openen en ontsnappen voordat de weermollen om twaalf uur komen.'

De kardinaal stak bezwerend zijn vinger op.

'De weermollen zullen jullie ook aanvallen als ze jullie tegenkomen. Iedereen die wordt gebeten, verandert direct in een weermol. Laat je dus niet door een weermol pakken, anders is de missie definitief mislukt.'

'Wat moeten we doen als we er een tegenkomen?' vroeg Dio.

'Slim zijn en moed houden.'

'Laatste vraag, kardinaal. Waar vinden we de vierde wet van de wijsheid?'

'Mag ik niet zeggen.'

'Dan kunnen we net zo goed hier blijven,' mopperde Dio.

'Vergeet het maar. Ik wil niet vierkant gesneden worden,' zei Aine boos.

Kardinaal Gregorius dacht even na.

'Ik kan jullie wel een aanwijzing geven. Tweehonderd jaar geleden heb ik die hogepriester Quatrième eens ontmoet. Omdat ik een geest ben, kon hij mijn ronde vormen verdragen. Merkwaardige man. Hij schrijft alles wat hij weet en denkt op in een vierkant boek. Misschien heb je daar iets aan. Ik moet gaan.'

Met een groet verdween kardinaal Gregorius net zo snel als hij gekomen was. Aine schopte boos het krukje om.

'Ik heb het helemaal gehad, Dio. Vandaag ben ik tien jaar geworden. Mijn feestje is niet doorgegaan en ik heb niet eens taart gehad. Wat hebben we ons op de hals gehaald door die ijskelder in te gaan! Als het vanavond niet lukt met die sleutel, zijn we morgen vierkant gesneden. Wat denk je dat mijn moeder daarvan zal vinden? Het is jouw avontuur, niet het mijn Dio. Als we hier deze cel komen, zoek je het maar uit. Ik ga in ieder geval terug naar de grot onder de ijskelder.'

'Maar we hebben de wetten van de wijsheid nog niet allemaal gevonden. En het PENTIUM?'

'Kan me niets schelen, als ik maar bij jou weg ben.'

Dio begreep dat hij het zonder Aine wel kon vergeten om de overige wijsheden te ontdekken. De missie leek reddeloos verloren.

'We komen hieruit, Aine, dat beloof ik je,' zei hij in een poging om hun vriendschap te redden. 'Zolang je niet opgeeft, is er hoop voor ons allebei. Denk maar wat we in de Zonnetempel geleerd hebben. Er is altijd hoop: als je maar actie blijft ondernemen. Zodra je denkt dat het niet gaat, dan lukt het ook niet meer. Probeer nu lekker te slapen. Ik maak je straks om tien uur wakker. We hebben een zware en spannende nacht voor de boeg.'

Aine haalde ongeïnteresseerd haar schouders op. Ze was het ongelooflijk zat.

De tijd kroop vooruit. Om zeven uur ging de cel open en werden er twee vierkante borden met een stevige soep met vierkante balletjes naar binnen geschoven.

Dio en Aine merkten nu pas hoeveel honger ze hadden. De vierkante zilveren lepels aten lastig, daarom slurpte Dio de soep maar naar binnen.

'Aine.'

'Wat is er?' antwoordde ze gelaten.

'Zie je deze lepel?'

'Ja, en wat dan nog?'

'Als we thuis zijn, laat ik van het zilver van deze lepel een prachtige armband maken voor jou, als verjaardagscadeau.'

Aine haalde haar schouders op. Dio stak de zilveren lepel in zijn zak. Hij was vastbesloten zijn idee ook werkelijk uit te voeren.

Buiten sloeg de kerkklok negen uur. Het was stil in het huis. De hogepriester Quatrième was blijkbaar klaar met het slijpen van zijn messen en de voorbereidingen voor morgen. Waarschijnlijk zat hij al in zijn schuilplaats op de zolder.

Aine sliep uitgeput op de grond en Dio staarde voor zich uit.

Hij voelde zich hier net zo gevangen als een slaaf. Daar had hij pasgeleden nog over gedroomd. Toen was hij gillend wakker geworden. 'Slaven bestaan niet meer, lieverd,' had zijn moeder hem getroost. Hij had haar boos aangekeken.

'O nee, mam? En hoe zit het dan met al die kinderen in derdewereldlanden, die voor een hongerloontje lange dagen onder onerbarmelijke omstandigheden moeten werken om te zorgen dat wij goedkope kleding kunnen kopen? En dan heb ik het niet eens over die honderdduizenden kinderen die in de meest verschrikkelijke oorlogen moeten vechten. Zijn dat dan geen slaven? Hoe noem je ze dan, mam?'

Zijn moeder had geen goed antwoord gehad. Dio kreeg tranen in zijn ogen.

'Mam, ik mis je,' fluisterde hij.

Negen uur werd half tien en daarna kwart voor tien. Dio maakte Aine wakker.

'Vannacht is de enige kans om te ontsnappen, Aine.'

Aine reageerde niet. Ze was nog steeds boos.

Eindelijk sloeg de klok tien uur. Dio pakte het stokje dat in de hoek van de cel lag. 'Jij hebt de smalste handen, Aine,' zei hij en hij stak haar het stokje toe. 'Ons leven hangt van dit stokje af. Als de sleutel valt, voelen we morgen de messen.'

'Ja, wrijf het er nog maar eens in,' zei Aine nijdig. Ze keek geconcentreerd naar het stokje en de sleutel die aan het haakje hing. Ze stak het stokje door de opening in de deur naar buiten. Ze moest voorzichtig bewegen, omdat ze maar één kans had.

'Je kunt het,' moedigde Dio haar aan.

Aine keek hem vernietigend aan. Het uiteinde van het stokje bewoog zich naar de sleutel.

'Hebbes,' siste Aine. Ze haalde het stokje met de buit naar binnen en hield hem voor Dio. 'Hier.'

Dio pakte de sleutel aan en maakte de celdeur open.

'We zijn vrij. We gaan.'

'Ik ga direct terug naar de grot,' zei Aine gedecideerd.

Dio probeerde haar op andere gedachten te brengen. 'Maar Aine, we moeten toch verder.'

'We moeten helemaal niets. Ik ga naar huis. Veel succes ermee.'

Met grote passen liep Aine weg. Dio wilde achter haar aan gaan, maar hij bedacht zich. Eerst moest hij de vierde wet van de wijsheid vinden.

Boven was geen geluid te horen. Blijkbaar had Quatrième zich uit angst voor de weermollen op zolder verschanst. Dio zag alleen een zwarte kat, die de kelder bewaakte. Sissend maakte ze een hoge rug toen ze Dio zag.

Op zijn tenen sloop Dio de trap op naar de begane grond. Aine was nergens te bekennen. Ze stond vast buiten op hem te wachten. Haastig zocht Dio naar het boek van Quatrième. Hij liep langs het angstaanjagende instrumentarium en keek in het bureau van de hogepriester. Veel tijd had hij niet. Misschien had Quatrième het boek meegenomen naar zolder. Dan zou hij Cubedal zonder de vierde wet van de wijsheid moeten verlaten. Nee, dacht Dio, dat nooit!

Dio keek in alle kasten en doorzocht de keuken. Nergens was ook maar iets te zien wat op een boek leek. Dio had haast. Aine werd vast ongerust buiten.

Ineens zag hij het liggen. Op de bovenste plank van de boekenkast zag hij een groot, vierkant boek. Dio moest op een stoel klimmen om erbij te kunnen. Het boek had een blauw fluwelen omslag. *Magisch toverboek* stond er met vierkante letters op de voorkant. Snel bladerde Dio het boek door. Niets! Hij haalde diep adem en begon opnieuw. Het moest erin staan.

'Bingo,' siste hij.

Hoofdstuk 4 op bladzijde 4: 'De wet van niet oordelen.' Dit moest de vierde magische wet van de wijsheid zijn. Er stond een toverspreuk onder gekrast:

Odhar allin yardahr

Onder deze magische woorden stond de betekenis van de spreuk geschreven. De meeste gevangenen zitten niet achter de tralies, maar zitten vast in hun eigen angsten en vooroordelen. Door het uitspreken van de toverspreuk raak je het vermogen om te veroordelen kwijt en ga je het leven nemen zoals dat zich aandient. Daarom wordt deze toverspreuk ook wel 'de magische spreuk van het geluk' genoemd.

Dio las de spreuk hardop op.

Toen hij vervolgens het boek zachtjes sloot, doorzag hij direct de betekenis van deze wet van de wijsheid.

Het vierkantvolk zou door hun vooroordeel dat rond slecht is nooit het wiel kunnen uitvinden. En dat belemmerde hun ontwikkeling en hun welvaart. Dit volk zou nooit een fiets, auto, trein of vliegtuig zien.

Dio vroeg zich af hoe het er op aarde uit zou zien als alle mensen de magische spreuk van geluk hardop zouden uitspreken. Er zouden van de ene op de andere dag geen vooroordelen meer bestaan. Vooroordelen beperken je mogelijkheden en kansen. Als je vooraf al denkt dat iets niet gaat lukken, ga je het ook niet meer proberen.

Het was Galileo Galilei geweest die in 1592 het algemeen geldende denkbeeld, dat de aarde plat was en bij de horizon van de zee ophield, doorbrak. Hierdoor beseften de mensen ineens dat de aarde rond was. Nu kon de wereld verder ontdekt worden door ontdekkingsreizigers als Columbus en Marco Polo.

Als de mens had gedacht dat het onmogelijk was om op de maan te wandelen, waren er nooit Apollo's en raketten de ruimte in geschoten. Dio's hersens kraakten. Hij pakte het perkament, liep naar het bureau en schreef de vierde wet van de wijsheid op.

Nu moest hij opschieten. Aine stond buiten op hem te wachten. Wat zou ze ongerust zijn! Snel sloop Dio naar buiten.

Om geen geluid te maken liet hij de deur op een kier. Weermollen zouden later die nacht van dit buitenkansje gebruikmaken.

De straat was donker en uitgestorven. Aine was nergens te bekennen. Dio keek op zijn horloge. Er was geen tijd te verliezen.

'Aine, Aine, waar zit je?'

Maar hoe hij ook zocht, ze bleef onvindbaar. Dio raakte in paniek. Half elf werd elf uur. Als hij nog weg wilde komen, moest hij nu vertrekken. Zonder Aine. Hij had minimaal een uur nodig om uit Cubedal weg te komen en aan de weermollen te ontsnappen. Hij maakte zich zorgen om Aine. Hij had geen idee waar hij haar zou kunnen vinden.

Hij begon te lopen. Steeds harder liep hij, tot hij rende. Zonder te weten of hij de goede richting had rende Dio het donkere Cubedal uit. Het was angstaanjagend stil op straat.

Buiten het dorp zette Dio zijn vlucht voort. Voortdurend keek hij om zich heen of hij Aine ergens zag. Waarom had ze niet op hem gewacht?

Een vierkante volle maan bescheen het heuvelachtige pad en al snel was Dio buiten adem. 'Doorlopen, ik moet blijven doorlopen,' sprak hij tot zichzelf.

Tot zijn opluchting zag Dio na een poosje dat de bomen en struiken geleidelijk minder vierkant werden en uiteindelijk weer hun normale, ronde vormen aannamen. Hij had het gered.

'Aine, waar zit je?' riep hij. Ergens hoorde hij een uil antwoorden, maar er kwam geen levensteken van Aine.

Moedeloos plofte hij neer op een open veld. Zijn hoofd bonkte van spanning. Zou Aine werkelijk uit Cubedal weg zijn? En zo ja, waar was ze nu dan?

Dio maakte zichzelf verwijten: hij had haar niet alleen moeten laten gaan. Waarom was hij op zoek gegaan naar de vierde wet van de wijsheid en niet bij haar gebleven? Op zijn horloge zag hij dat het vijf over twaalf was.

In de verte was het angstaanjagende mollengekrijs al te horen. Dio slikte. Hij hoopte dat Aine in veiligheid was nu de weermollen eraan kwamen. Hij rende verder tot hij niet meer kon en verstopte zich toen achter een struik. Hier zou hij op Aine wachten.

Aine bevond zich niet ver van Dio vandaan. Ze was toen de celdeur openging over haar toeren naar buiten gerend. Daar was alles donker en angstaanjagend stil. Even had ze overwogen om weer naar binnen te gaan, maar ze wilde niet terug naar Dio. Ze wilde alleen maar naar huis, naar haar vader en moeder, taart eten, cadeautjes uitpakken.

Zonder na te denken had ze het op een rennen gezet. De vierkanten bomen kregen langzaam weer hun ronde vormen terug. Ze was veilig zolang het duurde, maar ze voelde zich ontzettend alleen.

'Het is allemaal Dio's schuld,' mopperde Aine uitgeput. Ze liet zich op de grond vallen en sliep meteen. Ze droomde over een engel die haar tot zeven keer toe op een zilveren lepel wees, waarin de maan weerkaatste. Toen schrok ze wakker met maar één gedachte in haar hoofd: Dio is in levensgevaar! Dat was de betekenis van haar droom geweest.

Ze sprong overeind. Ze moest Dio helpen. Aine rende en kwam op een open vlakte. In het midden zag ze Dio bij een struik zitten.

Achter hem naderde een grote weermol, die elk moment tot de aanval kon overgaan. Dio was in slaap gevallen en hij was zich niet van het gevaar bewust.

'Dio,' schreeuwde ze, en Aine rende naar hem toe.

Dio schrok wakker. Hij krabbelde langzaam overeind.

De weermol jankte zachtjes, maar voldoende om Dio te waarschuwen.

Drie meter voor Dio stond Aine stil. De weermol naderde snel in het maanlicht. Dio huiverde. Nu kwam het op zijn moed aan. Niemand kon hem nu nog helpen. Nu moest hij het gevecht aangaan.

'Je zilveren lepel, Dio, gooi je zilveren lepel naar me toe,' gilde Aine.

Als in een reflex pakte Dio de lepel uit zijn zak en slingerde hem naar Aine.

De weermol werd helemaal wild bij het ruiken van zoveel lekker mensenvlees. Hij spande zijn achterpoten, klaar voor de sprong.

Dio voelde zich ijzig kalm worden. Geconcentreerd stond hij klaar voor het gevecht. 'Maak dat je wegkomt, Aine. De weermol moet met mij genoegen nemen.'

Zijn woorden hadden zijn mond nog maar net verlaten of de mensgrote weermol besprong Dio en raakte hem met zijn klauw. Dio's jack scheurde en er druppelde bloed uit een wond op zijn rechterarm. Aine griste de lepel van de grond en hield hem zo dat het maanlicht via het zilveroxide van de lepel recht in de ogen van de weermol weerkaatste. De weermol draaide zich om voor de tweede sprong toen Aine opnieuw het maanlicht wist te vangen en het licht via de zilveren lepel in de ogen van de weermol weerkaatste.

Even lichtten de ogen van de weermol zilver op en toen stortte hij neer. En op het zelfde moment rende er een klein, rond molletje voor Dio en Aine langs, op zoek naar een molshoop om zich te verschuilen.

Dio liet zich huilend van opluchting op de grond zakken.

'Je was geweldig,' zei Aine. 'Ik had nooit alleen weg mogen gaan. We gaan pas naar huis als we de overige wetten van de wijsheid en het PENTIUM hebben gevonden. Samen.'

Dio probeerde te lachen. 'Bedankt dat je mijn leven hebt gered, Aine.'

'Je bloedt.'

'Er zit een zakdoek in mijn jack.'

Aine haalde de zakdoek tevoorschijn en verbond de wond.

'We moeten hier weg,' zei Aine. 'Maar gaat dat met die arm?' Het is maar een ondiepe snee,' zei Dio. 'We lopen tot we er zeker van te zijn dat we geen weermollen meer tegenkomen.'

Woensdag

Dio en Aine werden wakker op een klein veld waar hoog gras groeide. Het veldje werd omsloten door struiken en het rook er naar klaver en honing. Heel in de verte waren de laatste vierkantbomen van Cubedal te zien.

Aan de rand van het grasveld groeide een walnotenboom die volhing met grote, rijpe walnoten. Dio gaf een zwiep aan een tak en het regende walnoten. Met een platte steen kraakte hij de noten.

Aine vond een bramenstruik waar blauwpaarse bramen aan hingen, zodat hun ontbijt die ochtend bestond uit bramen en walnoten.

'Nu moeten we weer terug naar Cubedal,' zei Aine. 'Ik zie het niet zitten, maar we moeten die vierde wet van de wijsheid gaan halen.'

Dio glimlachte. 'Die heb ik gisteren voor ik het huis uit ging gevonden in het magische toverboek.'

'Echt,' riep Aine opgelucht. 'Geweldig, laat mij hem eens lezen.'

Dio haalde de perkamenten rol uit zijn binnenzak en liet Aine de vierde wet van de wijsheid zien.

'Niet oordelen,' zei Aine. 'Dat is best moeilijk.'

'En zelfs die uitspraak is een oordeel,' zei Dio.
'Dan maar snel naar de vijfde wet,' zei Aine.

Snel gingen ze weer op pad. Erg lang duurde de tocht niet, want zodra ze de eerste heuvel beklommen hadden, zagen ze een azuurblauwe zee liggen. Het water had een heldere, intense, groenblauwe kleur, zoals je die alleen in de vakantiefolders ziet.

'We zijn ingesloten,' merkte Dio op. 'Aan de ene kant de zee en aan de andere kant Cubedal. Waar moeten we heen? Wie het weet mag het zeggen!'

'We kunnen absoluut niet terug,' zei Aine stellig. Er zat niets anders op dan langs het strand te lopen. Misschien diende zich ergens een nieuw pad aan. Ze sloften door het warme zand met de koele, zilte zeebries op hun gezicht. Maar waar moesten ze heen?

Net toen Dio en Aine kardinaal Gregorius wilden aanroepen, zagen ze een lichtblauwe roeiboot, die in de felle zon lag te schitteren op het strand. Dio en Aine renden erheen en Dio zag meteen dat de boot half vergaan was. Er gaapte een groot gat in de romp.

'Lek als een mandje,' concludeerde hij. 'Hiermee kunnen we niet de volle zee op.'

Toch bleven ze om de boot heen draaien. Terugreizen wilden ze geen van beiden.

Dio liet zich naast de boot op het zand zakken. De roeiboot was hun enige mogelijkheid om overzee te kunnen ontsnappen aan Cubedal.

Maar hoe moesten ze het gat in de romp dichten? Er was op heel dat verlaten, lege strand niets te zien wat op gereedschap of hout leek.

Dio's ogen schoten over het witte zand tot ze een schuin over het strand hangende palmboom zagen. In een flits zag Dio de oplossing voor hun probleem.

'Ik weet het!' riep hij enthousiast tegen Aine en hij rende naar de palmboom. Even later kwam hij vol trots met een kokosnoot terug.

'Wat moeten we daar nu mee?' vroeg Aine.

'Let maar op.'

Dio sloeg in één klap de kokosnoot in tweeën. Met het grootste stuk liep hij naar de boot en drukte de noot krakend, alsof het een kurk in een smalle fles was, in het gat van de romp. Met een paar stevige klappen met de steen zat de kokosnoot muurvast. De boot was waterdicht en klaar voor vertrek.

'Tijd om te gaan,' riep Dio. Hij legde de roeispanen erin en met veel bravoure sleepte hij de roeiboot naar de vloedlijn, waar de golven op het strand rolden. 'Kom aan boord, Aine, we vertrekken.'

'Waarnaartoe?'

'Dat zien we wel,' antwoordde Dio. 'We gaan in ieder geval de zee op en proberen naar de volgende punt te varen. Ik wil Cubedal nooit meer zien.'

De boot deinde zachtjes op de zee op en neer. Dio en Aine roeiden ieder aan een kant. Onder zich zagen ze in het heldere water reusachtige tropische vissen en kleine haaien wegschieten. Een grote school blauwgele visjes zwom als een getrainde militaire formatie onder de boot door en veranderde alsof ze onder commando stonden – plotseling tegelijk van koers. Het was een fantastisch gezicht, maar Dio en Aine konden dat prachtige schouwspel niet lang bewonderen. Het roeien vroeg al hun aandacht.

‘Waar zouden we uitkomen?’ vroeg Aine.

‘Bij de volgende punt van het Rijk van Wijsheid,’ antwoordde Dio, voor mijn gevoel gaan we de goede kant op.

De kokosnoot hield wonder boven wonder het gat dicht en na uren roeien zagen ze eindelijk in de verte weer land liggen. Met het einddoel in zicht mochten hun vermoeide armen en schouders even rusten.

Maar nog voor ze het vasteland bereikten, gebeurde het. In de rustig kabbelende zee was daar zomaar vanuit het niets een draaikolk. Geen kleintje, wat in tropische wateren wel vaker voorkomt. Nee, deze draaikolk was zo krachtig dat Dio en Aine er met roeiboot en al in werden gezogen.

‘Roeien, Aine, roeien!’ schreeuwde Dio met overslaande stem. ‘Anders verdrinken we en ik heb geen zin om op de zeebodem of in een haaienmaag te eindigen.’

‘Ik kan niet harder,’ riep Aine. Haar hoofd was rood van inspanning.

Uit alle macht probeerden Dio en Aine weg te roeien van de draaikolk, maar die was veel te sterk voor hen. Als een pluisje voor een stofzuigermond werden ze met een oorverdovend geweld de draaikolk ingezogen.

Ze draaiden tollend naar beneden, eerst langzaam en daarna met duizelingwekkende snelheid. De boot bonkte op de draaikolk en hun adem werd door het water afgesneden. Aine zag wit van angst.

‘Ik haat wild water,’ schreeuwde ze.

Het leek alsof het einde van hun avontuurlijke reis was aangebroken.

Maar verdrinken deden ze niet. Gek genoeg ploften ze op de zachte, groene zeebodem en konden ze gewoon ademhalen.

'Ben ik dood?' vroeg Aine. 'Knijp me eens, Dio. Ben ik dood?'

'Ik weet het niet. Ik denk het niet. Ik voel me nog springlevend en ik vraag me af waar we zijn. Het is hier helemaal droog, terwijl we zijn verdronken,' antwoordde Dio.

Op de zeebodem was geen water te zien. Het leek alsof ze tientallen meters onder de zeespiegel in een enorme luchtbel terecht waren gekomen, waar ze normaal konden ademhalen. Voorzichtig bewoog Aine haar armen en benen en stelde vast dat alle ledematen nog naar behoren functioneerden. Ze keek daarna naar de roeiboot die naast hen lag. De kokosnoot was in de val losgeraakt en het gat in de romp was weer even groot als toen ze de boot vonden op het strand.

Hier waren ze dan, zonder ook maar een idee van wat ze moesten doen of waar ze naartoe moesten gaan. Door het zachte mos, het prachtige koraal en de rotsen kregen Dio en Aine het gevoel dat ze in een immens, leeg aquarium terecht gekomen waren. Een betoverende, stille wereld, die alleen snorkelaars en duikers van nabij kennen.

'Start play. Game over. Start play. Game over.'

Ze hoorden een schrille, hoge stem, die langzaam vanachter een rots dichterbij kwam.

'Wat krijgen we nu weer?' zei Aine.

'Start play. Game...'

Ineens bleef het stil. Een klein mannetje met een vrolijk gezicht gluurde vanonder een zwarte hoge hoed naar Dio en Aine. Zijn te grote zwarte cape viel op een vreemde manier over zijn tengere schouders. Hij droeg prachtig gepoetste zwarte leren laarzen en keek naar Dio en Aine alsof ze rechtstreeks van Mars kwamen.

'Control, alt, delete. Enter... Er klopt iets niet! Ik heb een bug,' zei het mannetje. 'Game over. Reset all. Start new game.' Heel voorzichtig liep hij op Aine af en raakte haar even aan om te voelen of ze echt was. 'Wie zijn jullie in vredesnaam? In welk spel spelen jullie?'

'Spel? Ik ben Dio en ik kom uit het Rijk van de Levende Geesten,' zei Dio.

'Het Rijk van de Levende Geesten? Dat rijk ken ik niet, hoor. Is dat een nieuwe game?'

'Nee, dat is de aarde, waar de echte mensen leven.'

Het gezicht onder de hoge hoed gierde het uit. 'Komen jullie echt van de aarde? Dat is het mooiste spel dat we hier ooit ontworpen hebben. Het lijkt net echt.'

'Maar het ís echt,' zei Aine verongelijkt.

Het mannetje lachte nog harder. 'Ha ha ha! Nee hoor, het Wereldspel is onze trots! Daar hebben we jaren aan gewerkt. Het is zo goed gemaakt dat de spelers die erin zitten denken dat de aarde echt bestaat. Geloof me, dat is niet waar. De wereld is een driedimensionaal computerspel. Geweldig.'

'En waar zijn we nu?' vroeg Aine. Ze was het gelach zat.

'In de wereld van Applesoft, natuurlijk. Het land waar elke realiteit in een computerspel wordt nagebouwd.'

'Echt waar?' vroeg Dio verheugd. Als hij ergens van hield, was het wel van computergames.

'Hé, wacht eens even,' riep het mannetje, terwijl hij Dio aanstaarde. 'Jij bent de duikelaar! Ja hoor, je bent het echt. De duikelaar.'

Dio knikte bevestigend. 'Ja, dat klopt. Zo noemde mijn moeder me vroeger ook. Ik ben namelijk op een bijzondere wijze ter wereld gekomen. En daarom noemde ze me de duikelaar.'

'Wat een mop, zeg,' grinnikte het mannetje en hij maakte een huppelsprongetje. 'De duikelaar is bij ons op bezoek.'

'En wie ben jij?' vroeg Dio

'Ik ben Kyle en ik ben het hoofd van de computernerds die hier in Applesoft leven. Er zijn hier meer dan honderdduizend computernerds en samen bouwen we alle computergames van het universum...'

'Dat kan niet,' viel Aine hem in de rede. 'Bij ons op aarde hebben we wereldwijd honderdduizenden computerprogrammeurs die games bouwen. SIMS, Runscape, Tycoon... ik heb ze allemaal gespeeld.'

Kyle moest zo hard lachen dat de tranen over zijn bolle wangen liepen. Hij veegde ze af met een puntje van zijn zwarte cape. 'Je bent erg grappig, voor een meisje,' was zijn conclusie. 'Hoe denken jullie dat al die computerprogrammeurs op aarde aan hun ideeën komen?'

'Die bedenken ze zelf,' antwoordde Dio. 'Ja, daar zijn we slim genoeg voor,' vulde Aine hem aan.

'Geloven jullie dat echt? Kom dan maar eens mee.' Het kleine mannetje wenkte. 'Ik moet jullie iets laten zien.'

Kyle huppelde een klein pasje voor hen uit naar een groot veld dat helemaal vol stond met naar boven gerichte schotelantennes. De schotels waren intens wit van kleur en hadden een diameter zo groot als een huis. 'Dit zijn de straalzenders van Applesoft,' verduidelijkte Kyle. 'Met deze schotels sturen we onze computergames en gewijzigde programmatuur rechtstreeks naar de hoofden van jullie mensen en dus ook naar jullie computerprogrammeurs. Zij zetten onze ideeën weer om in de games die jullie op aarde kennen. Maar dat gebeurt niet alleen met computerprogrammeurs. Elke gedachte die je als mens op aarde krijgt is hier bedacht en geprogrammeerd. Ik wist wel dat het spel zo goed was dat de mensen zelf geloven dat het leven geen spel is, maar de werkelijkheid.' Van plezier maakte Kyle een sprongetje. Toen werd hij weer serieus.

'Hier in Applesoft bepalen wij alles. Wie je tegenkomt, waar je naartoe gaat en wie je bent.'

'Echt?' vroeg Aine achterdochtig. 'Hebben jullie dan ook geprogrammeerd dat het Rijk van Wijsheid over een paar dagen door de Spocks wordt veroverd als wij de wetten van de wijsheid en het PENTIUM niet op tijd vinden?'

'Eh ja,' antwoordde Kyle. Hij werd meteen ernstig. 'Het is Azazel helaas gelukt om een van mijn beste programmeurs om te kopen. Hij heeft dit complot bedacht. Gelukkig hebben we het vorige week ontdekt en kunnen jullie deze fout nog herstellen. Het is Azazel namelijk niet gelukt om de afloop van het hele avontuur vooraf te programmeren. De uitkomst staat dus nog niet vast. Die ligt in jullie hand.'

'Dus we hebben een kans?' vroeg Dio.

'Welzeker, duikelaar. Je bent niet voor niets op zo'n bijzondere manier geboren.'

En met die woorden trippelde Kyle verder.

Dio liep naar de dichtstbijzijnde witte schotel. Die had een diameter van zeker tien meter. Toen hij er vlakbij stond, hoorde hij het zachte gezoem van alle ideeën die op dat moment naar de aarde werden verzonden.

'Elk computerspel dat jullie kennen, is ooit hier bedacht. Wat jullie op aarde "leven" noemen, is één groot, door ons bedacht computerspel. Wat zeg je daarvan?'

Van plezier stuiterde Kyle over de grond. Aine zuchtte. Ze had zin Kyle een flinke duw te geven. Het idee dat ze niet meer was dan een virtueel meisje, stond haar niet aan. Kyle had niets in de gaten en tetterde verder.

'We maken hier niet alleen computerspellen voor de aarde, maar ook voor de andere planeten. Voor Pluto en Mars, bijvoorbeeld.'

'Is daar dan leven?' vroeg Dio verbaasd.

'Wis en waarachtig. Het zit alleen nog niet in het huidige level van het spel dat jullie op aarde spelen. Jullie hebben momenteel level 22 bijna uitgespeeld. Jullie planeet Aarde is nu in het tijdperk Aquarius. Dat is de aanloop naar een volgend level. In het volgende level gaan jullie op aarde ontdekken dat er meer leven is in het universum. Er zullen bemande ruimtevaartuigen met voor jullie nu nog onbekende, hoogwaardige technische apparatuur naar Mars gaan en daar leven ontdekken.

Op Mars spelen ze op dit moment Mastadiaz, een spel met een hi-tech virtuele wereld gebaseerd op gedachten, liefde en creatie. Zij zijn miljoenen jaren eerder dan jullie met hun spel begonnen en zitten nu in level 88, maar ooit zullen jullie op aarde ook dat niveau bereiken.

Kom, dan laat ik zien waar de computernerds van Applesoft zijn.' Kyle haastte zich weg van het zenderveld naar een reusachtige, inktzwarte rots. 'Start play. Game over. Start play. Game over,' zong hij uit volle borst.

Dio en Aine liepen met een raar gevoel achter hem aan. Ze hadden altijd gedacht dat ze mensen waren en geen virtuele personages in een computerspel. Moesten ze Kyle geloven?

Bij een vlak stuk rotswand bleven ze staan. Er was niets te zien wat op een opening leek. Kyle legde zijn hand op een onopvallend glasplaatje dat aan de zijkant was opgehangen. Eerst gebeurde er niets, maar toen schoof er krakend een levensgrote steen weg.

'Welkom terug in Applesoft. Start playing, Kyle,' zei een vrouwelijke computerstem.

Nieuwsgierig keken Dio en Aine naar binnen.

'Welkom in Applesoft,' zei Kyle plechtig. 'Het zenuwcentrum van al het leven in dit universum.'

Voorzichtig stapten Dio en Aine een voor een naar binnen. In de grot was het aangenaam warm. Lichtgroen neonlicht weerkaatste tegen de rotswanden en gaf Dio en Aine een onnatuurlijk sciencefictionuiterlijk. Ze volgden een smal, door ledlampjes verlicht pad dat eindigde bij een balustrade die uitzicht bood over een enorm grote zaal, die helblauw verlicht was.

Dio en Aine konden hun ogen nauwelijks geloven. In de door schel neonlicht verlichte ruimte zaten tienduizenden en nog eens vele tienduizenden programmeurs te werken aan lange tafels met computerschermen. Overal waar je keek zaten computernerds te typen, naar hun scherm te turen of met elkaar te overleggen. Het gezoem van de stemmen en het geratel van toetsenbordaanslagen echode in de enorme ruimte. Het blauwe licht werd op de talloze computerschermen weerkaatst.

'Waar komen al die nerds vandaan?' vroeg Dio.

'Uit het Rijk van de Levende Geesten. Alle internetverslaafden en iedereen die verslaafd is aan computergames komt na zijn dood in ons rijk. Hier leren we ze programmeren en mogen ze dag in, dag uit achter de computer zitten. Door de opkomst van computers en het Internet is het steeds drukker geworden in Applesoft. En nu werken hier al honderdduizenden computernerds,' legde Kyle uit. 'Onze programmeurs zijn verdeeld over vijf sectoren en die komen overeen met de elementen waar het heelal uit bestaat: lucht, vuur, water, aarde en ether.

De luchtsector wordt gevormd door de computernerds daar in het witte licht. Zij houden zich bezig met het programmeren van de geest. Zaken als intelligentie, creativiteit, godsdienst en communicatie worden daar uitgedacht.

Het felle rode licht daarginds is de vuursector. Die gaan over passie en verlangen. In die sector wordt ervoor gezorgd dat de mensen doen wat ze willen en bedenken. Ook alle verliefdheden in de wereld worden er geregeld.'

'Het blauwe licht daar rechts in de hoek is de watersector. Daar worden alle overige emoties en de intuïtie geprogrammeerd. Ook alle dromen van mensen worden in deze sector uitgedacht en naar de aarde verzonden.'

Dio luisterde met toenemende verbazing naar Kyle. Hij had altijd gedacht dat hij door al zijn boekenwijsheid iets van het leven begreep. Maar zijn gedachten en denkbeelden waren in het afgelopen uur hier op de zeebodem veranderd. Het leven zat blijkbaar anders in elkaar dan de mensen dachten. Langzaam schudde Dio zijn hoofd. Hij wilde het niet geloven.

'De vierde sector is groen gekleurd. Dat is de aardesector. Alle natuur, maar ook geld en bezit worden daar verdeeld. In de aardesector maken we iemand straatarm of multimiljonair. Alles wat je als mens bezit, wordt hier gecreëerd. En we maken er de natuurrampen en het hele dierenrijk.

De laatste sector is die met het transparante licht. Dat is de ethersector. Daar worden alle onzichtbare verbindingen op aarde vastgelegd. Hun product is wat jullie in het Rijk van de Levende Geesten "toeval" of "de onzichtbare dimensie" noemen. In deze vijf sectoren worden de computergames voor het hele universum gemaakt.

'Jeetje,' was alles wat Aine kon uitbrengen.

‘Waanzinnig, wat een wereld,’ verzuchtte Dio.

Kyle nam hen mee naar een glazen lift, die het gezelschap in een razendsnel tempo naar de werkvloer bracht.

De computernerds droegen versleten slobberkleding en sommigen hadden lange baarden. Ze zaten achter hun computerschermen te typen en af en toe sprong er een nerd met een schreeuw van zijn stoel.

‘De nerds die opspringen hebben een geniaal idee gekregen,’ verduidelijkte Kyle. Je kon zien dat hij trots was op zijn collega’s in Applesoft.

‘Wie zijn dat?’ vroeg Aine terwijl ze een paar fleurig geklede mannen aanwees die zich met een grote vierkante bak op hun rug snel door de zaal bewogen.

‘Dat zijn onze pizza- en colakoeriers. Nerds leven op cola en pizza. Dat is het enige wat ze binnenkrijgen, omdat het hun creativiteit stimuleert.’

‘Ik zou ook best zo’n pizza lusten,’ fluisterde Aine tegen Dio.

Dio en Aine liepen achter Kyle aan de zaal door. De nerds gingen helemaal op in hun werk, ze keken niet eens op toen ze langsliepen. Het leek wel of ze in trance naar hun computerschermen staarden.

Onverwachts sprong er een nerd op. ‘Gamba, mama mia,’ riep hij. Hij zag er verwilderd uit onder zijn wilde haardos. Hij liet zich op de grond vallen en stak zijn gevouwen handen de lucht in.

‘Hij heeft vast een programmeerprobleem opgelost,’ veronderstelde Kyle. Hij stapte op de man af en praatte even met hem. ‘Hij werkt aan Mastadiaz en heeft drieëntwintig jaar aan één stuk door aan een nieuwe geheimtaal voor Mars gewerkt.

En daar heeft hij zojuist de sleutel van gevonden,' verklaarde Kyle het enthousiasme van de programmeur.

Rij na rij passeerden ze de tafels met computernerds, achter hun blauwe beeldschermen en toetsenborden. Alle nerds zagen er hetzelfde uit: voddige kleren, pientere gezichten en ogen vol passie gericht op het beeldscherm. Overal stonden colablikjes op de tafels. Onder de tafels waren hoge stapels lege pizzadozen geschoven.

'Mag ik een vraag stellen?' vroeg Aine met haar liefste stemmetje.

Dio spitste zijn oren. Hij kende dat stemmetje van Aine. Het betekende dat ze wat van Kyle nodig had.

'Natuurlijk,' zei Kyle.

'Onze ouders zijn doodongerust. Wil jij ze laten weten dat alles goed met ons is en dat we in leven zijn?'

'Ik heb een grandioos idee,' zei Kyle. 'Dat gaan we zo meteen doen, maar eerst iets anders. Willen jullie een lekker stuk pizza?'

'Graag!' riepen Dio en Aine tegelijk.

Kyle wenkte een kleurig gekleed mannetje met een geruit alpinopetje op. 'Drie pizza margarita en drie cola.'

De pizzaman noteerde de bestelling in een klein wit zakboekje en verdween haastig om de pizza's te gaan halen.

'Ik dacht dat hij het nooit zou vragen,' fluisterde Aine.

'Kennen jullie het Wereldspel?' vroeg Kyle.

'We hebben op aarde gewoond, hoor,' lachte Aine spottend.

Kyle trok zich niets van haar opmerking aan. Vrolijk ging hij verder: 'Ja, dat is inderdaad een spel dat op aarde gespeeld wordt. Na Mastadiaz, dat we op Mars spelen, is het Wereldspel de moeilijkste game die we ooit geprogrammeerd hebben. De huidige versie heeft 22 miljoen manjaren programmeerwerk gekost. Weten jullie wat het Wereldspel zo complex en bijzonder maakt?'

'Nee,' antwoordde Aine.

'Er zitten twee geniale elementen in. Het eerste is dat alles met alles verbonden is. In het Wereldspel werken de sectoren lucht, vuur, water en aarde nauw met elkaar samen. Dat gebeurt via de ethersector. Als we ergens in het Wereldspel iets veranderen, kan dat invloed hebben op andere delen van het spel. Wat jullie op aarde "toeval" noemen, is in werkelijkheid hier in de ethersector geprogrammeerd.

Toeval bestaat dus niet op aarde, maar is door ons vooraf bedacht. Wij hebben geprogrammeerd wie je tegen moet komen of op wie je verliefd wordt. Alle schijnbaar toevallige gebeurtenissen bij elkaar zorgen ervoor dat het Wereldspel zich kan ontwikkelen. Daardoor komt de aarde binnenkort in level 23 terecht.'

'Is alles echt van tevoren bedacht?' vroeg Dio.

'Heb jij ooit een computerspel gespeeld waarin niet alles al was geprogrammeerd, duikelaar?' was Kyle's wedervraag.

'Nee,' moest Dio toegeven.

'Het ontwerp van het Wereldspel is helemaal hier bedacht.' Elke nacht sturen we vanuit de vijf sectoren een nieuwe release van het Wereldspel naar de aarde. Daarin bepalen we precies wie wat moet overkomen of wie welke persoon moet ontmoeten.'

'Hebben jullie dan ook Hitler bedacht met zijn afschuwelijke plannen?' vroeg Aine met een ernstig gezicht.

Er viel een schaduw over Kyle's blik.

'Dat was een grove fout van een medewerker die te lang achtereen achter de computer had gezeten. Het heeft meer dan tien jaar geduurd voordat we die fout hebben kunnen herstellen. Uiteindelijk hebben we Hitler laten ombrengen in zijn bunker in Berlijn.' Het was even stil. Toen haalde Kyle zijn schouders op en ging verder met zijn verhaal.

Het Wereldspel is zo geprogrammeerd dat het kwaad nooit lang kan standhouden. Het goede overwint altijd. Dat is vastgelegd in de broncode van het spel. Ga zelf maar na – Hitler, Saddam Hoessein, Julius Caesar; Vietnam, de apartheid in Zuid-Afrika; Napoleon en Idi Amin: ze zijn uiteindelijk allemaal verslagen.'

'Pizza, Pizza, lekkere pizza.'

De pizzakoerier met zijn bak op de rug zette drie pizza's margarita en drie blikjes cola voor hun neus. Na al het fruit en de noten van de laatste dagen genoten Dio en Aine extra van de warme knapperige pizza en koude cola.

'Start eating. Game over,' riep Kyle.

Nadat de pizza's tot op de laatste kruimel waren opgegeten, ging Kyle verder met zijn verhaal.

'Weten jullie wat het tweede geniale element is achter het Wereldspel op aarde?'

'Nee, geen idee,' antwoordde Dio.

'Het is de basis van de vijfde wet van de wijsheid, die hier in Applesoft is opgeslagen. Die wet is door ons in het Wereldspel ingebracht.'

Dio zat meteen op het puntje van zijn stoel. Hoorde hij dat goed? Had Kyle het over de vijfde wet?

'Hoeven we niets te doen om die wet te bemachtigen?' vroeg Dio bedachtzaam.

'Nee, duikelaar, in Applesoft hoeft dat niet. Wij hebben andere regels. Deze wet krijgen jullie gratis en voor niets.'

Dio pakte zijn rol perkament uit zijn zak om de vijfde wet van de wijsheid te noteren.

'De meeste spellen die we vroeger maakten, waren logisch opgebouwde games. Gevoel, verlangen en passie ontbraken in die spellen. De sectoren vuur en water bestonden nog niet en over de sector ether hadden we nog niet nagedacht. Hierdoor konden oervolken die logische games makkelijk spelen, maar eigenlijk waren de spellen nogal saai en voorspelbaar. Nu praten we denk ik over de tijd dat er nog dinosaurussen leefden op aarde.'

'Hadden ze toen dan al computers?' vroeg Dio ongelovig.

'Op aarde niet, duikelaar,' vertelde Kyle. 'Maar op Mars was toen het computertijdperk al achter de rug.

In het moderne Wereldspel is het ons gelukt emotie, passie en verlangen in te brengen. In het laatste level hebben we alles zelfs met elkaar kunnen verbinden en hebben we het toeval kunnen ontwikkelen in het Rijk van de Levende Geesten.

Alle mensen die nu het moderne Wereldspel spelen hebben van ons bij hun geboorte karakterkenmerken meegekregen in een willekeurige samenstelling. Dat maakt mensen verschillend. Emotie, verlangen en passie zorgen ervoor dat niet alles meer logisch is in het Wereldspel. Het is vaak zo dat het menselijke gedrag zelf juist onlogisch is en dat mensen keuzes maken op basis van emotie. Dat maakt het Wereldspel zo leuk en tegelijkertijd zo moeilijk voor ons om te programmeren.'

Kyle stopte even om te genieten van zijn verhaal.

'Als jullie mensen eens wisten hoe grappig jullie gedrag is als je er van een afstand naar kijkt.

In de broncode van het moderne Wereldspel hebben we iets speciaals ingebouwd. We hebben alle mensen de mogelijkheid gegeven om met hun verlangen en passie alles te kunnen bouwen wat ze willen. Iets wat je als mens heel graag wilt en waar je al je aandacht en verlangen op richt, zul je uiteindelijk krijgen, als je maar bereid bent om actie te ondernemen. Dat staat in de broncode van het Wereldspel geprogrammeerd.'

'De mens is dus zo geprogrammeerd dat hij alles kan bereiken wat hij graag wil,' vatte Dio samen.

'Ja, dat zit in de broncode van het spel en in elk modern mens ingebakken. Wel vinden onze nerds hier het leuk om het iedereen een beetje moeilijk te maken en het doorzettingsvermogen van de mens te testen.

Maar als je doorzet, krijg je uiteindelijk als mens toch wat je graag wilt. Je zult vaak wel bereid moeten zijn vele tegenslagen te incasseren voordat je je droom bereikt. En dat noemen we de wet van passie en verlangen. De vijfde wet van de wijsheid. Begrijpen jullie dat?'

Aine knikte instemmend en Dio begon de wet op de perkamenten rol te schrijven.

'Als de mens voldoende wil en doorzettingsvermogen heeft om alle tegenslagen die jullie hier programmeren te doorstaan, kunnen ze uiteindelijk alles bereiken wat ze graag willen,' vatte Dio de vijfde wet van de wijsheid samen.

Kyle maakt een aantal vreugdesprongetjes, waarbij zijn hoed op zijn hoofd heen en weer wipte. 'Ja, highscore duikelaar, zo zit dat in de broncode geprogrammeerd.'

Nu richtte Kyle zijn aandacht op Aine. 'En dan nu een bericht naar jullie ouders.'

'Graag,' zei Aine.

Gedrieën liepen ze naar de witte sector. Daar bleven Dio en Aine even staan wachten, terwijl Kyle naar een computernerd liep. Hij sprak even met hem en rende toen terug naar Aine. 'We sturen vanavond een gedachte naar lama Tulku.'

Aine keek hem niet-begrijpend aan.

'Lama Tulku?'

'Dat is het hoofd van het Bhutaanse klooster hoog in de Himalaya. We laten hem een ansichtkaartje naar duikelaars moeder sturen, waarop staat dat de Bhutaanse beschermketting tot nu toe haar werk heeft gedaan en jullie alle twee veilig zijn.'

De nerd slofte naar zijn computerscherm en toetste een aantal gegevens in. 'Geregeld,' stelde hij daarna tevreden vast. 'Morgen wordt vanuit Bhutan de ansichtkaart met de genoemde tekst naar Dio's moeder verzonden.'

Kyle wreef bedachtzaam over zijn kin.

'Ik heb jullie eigenlijk niets meer te leren, en ik moet zelf ook weer verder met mijn programmeerwerk. Kom mee naar de lift, dan breng ik jullie op weg naar de volgende wereld.'

'Start play. Game over,' zong Kyle, terwijl hij door de immense computerzaal naar de glazen lift rende.

Met een speciale sleutel maakte hij de glazen kast naast de lift open. De kast zat vol met knipperende ledlampjes, meters en knoppen.

'Wat ben je van plan?' vroeg Dio.

'Ik ga jullie naar de volgende wereld teleporteren.'

'Teleporteren? Dat gun je je ergste vijand niet eens,' zei Aine plagerig.

'Zo erg is het niet, hoor. Start game. Play teleporteren,' antwoordde Kyle en hij maakte een huppeltje voor de lift. 'Teleporteren komt eigenlijk uit het Mastadiaz-spel, maar jullie mogen er als eerste mensen één keertje gebruik van maken.

Deze lift is eigenlijk een teleporteur waarmee ik jullie met behulp van een formule door tijd en ruimte kan sturen.'

'Waar gaan we dan heen?'

'Ik transporteer jullie door de tijd heen naar de volgende wereld. Jullie gaan naar de Ibutsi, een indianenvolk. Ze zijn hier niet ver vandaan gevestigd, op de volgende landtong in het Rijk van Wijsheid. Misschien hebben jullie die nog net voordat jullie in de draaikolk terechtkwamen, zien liggen. Bij de Ibutsi is de volgende wet van de wijsheid te vinden.'

'En als we dat nou eens niet willen,' zei Aine uitdagend.

Kyle's stralende glimlach verdween. 'Dat zou gemeen en vals zijn. Dan is jullie spel uitgespeeld. Zonder de zeven wetten van de wijsheid en het PENTIUM blijft de stalen deur naar het Rijk van de Levende Geesten gesloten. De teleporteur is jullie enige kans om bij de Ibutsi te komen en daar de zesde wet van de wijsheid op te halen.

Kom, ik heb meer te doen vandaag. Ik moet de Amerikaanse president een oorlog laten stoppen.'

Dio en Aine keken elkaar aan en beseften dat ze wederom geen keuze hadden. 'Vooruit dan maar. Graag twee maal een enkele reis naar de Ibutsi,' zei Dio ten slotte.

'Goed zo, duikelaar. Ik ben met jou nog niet klaar. Als je ooit weer in het Rijk van de Levende Geesten terugkeert, zal er korte tijd later een nieuwe opdracht op je wachten.

Start play. Load Ibutsi. Start play. Load Ibutsi,' zong Kyle, terwijl hij de controlekast in dook en op allerlei knoppen drukte.

'Gaan jullie maar samen in de glazen lift staan en blijf vooral rustig. Hopelijk gaat het allemaal goed. Wees op je hoede: de Ibutsistam in het Rijk van de Levende Geesten is begin twintigste eeuw door de Amerikanen uitgeroeid. Sindsdien hebben ze een hekel aan westerlingen. Probeer hun vertrouwen te winnen. Ik wens jullie veel geluk. Vergeet nooit de wet van passie en verlangen die je hier in Applesoft geleerd hebt. Je leven is zo geprogrammeerd dat je alles kunt bereiken als je maar, ondanks alle tegenslagen, blijft doorzetten. Dat zit bij iedere mens als broncode ingebakken. Alleen passie en verlangen kunnen jullie redden.'

Dio en Aine liepen de glazen lift in. De deuren sloten met een klik. Kyle stond dansend achter de knoppen. Ze zagen hem zijn hand opsteken en aftellen van vijf tot één.

Met een ongelooflijke klap werden Aine en Dio tegen de vloer van de lift gesmeten. De glazen kooi trilde en sidderde. Toen was er een heldere flits met een pijnlijk hoog gefluit, alsof de lift door de lichtbarrière heen schoot.

Dio en Aine zweefden met een ongelooflijke snelheid gewichtloos in de glazen lift, op weg naar een nieuw avontuur.

Donderdag

In de lift verloren Aine en Dio elk besef van ruimte en tijd. Met een onvoorstelbaar hoge snelheid suisden ze door een helwit verlichte tunnel. Ze waren bang dat de glazen lift uit elkaar zou spatten en ze sloten allebei uit angst hun ogen. Het leek een eeuwigheid te duren en Aine werd misselijk van de snelheid en de druk op haar hoofd.

Dio leek bewusteloos in de lift te zweven.

Ineens was er een enorme klap en daarna was het stil. Dio en Aine, kwamen met een harde klap op de vloer terecht. Dio was meteen weer bij bewustzijn. Met hun ogen stijf dicht bleven ze op de bodem van de lift liggen.

'Dio, leef je nog?' vroeg Aine voorzichtig.

'Ik geloof van wel,' kreunde Dio zachtjes.

Vreemde dierengeluiden drongen door tot in de glazen lift. Eindelijk durfde Dio zijn ogen open te doen. Een kolibrie zoog zich met zijn ronde tuitsnavel aan de liftkooi vast.

Meters dikke woudreuzen en rubberbomen die tot in de hemel leken te reiken, stonden om de lift heen. Hier en daar klonk het gekrijs van een papegaai en de roep van een toekan.

Overal groeiden planten met reusachtige bladeren en lange lianen.

Dio herkende de omgeving van plaatjes uit de encyclopedie van zijn vader.

'Aine, doe je ogen maar open. We zijn in het regenwoud.' Het klonk idioot, realiseerde Dio zich. Het ene moment waren ze in een hi-tech rots op de zeebodem. Het volgende moment lagen ze in een liftkooi in het oerwoud.

Een groep brulapen schoot krijsend weg. Hun geluid loste op in de smeltkroes van magische regenwoudgeluiden. Dio drukte tegen de liftdeuren. Ze gaven niet mee.

'Help even, Aine.'

'Ja hoor, als meneer het niet redt, is er altijd nog zijn persoonlijke assistente Aine.' Ze deed alsof ze haar mouwen opstroopte en kwam naast Dio staan. 'Aine meldt zich.'

Met z'n tweeën duwden ze met hun volle gewicht tegen de liftdeuren. De deuren bewogen voorzichtig. Bij de laatste harde duw klapte een van de liftdeuren open en rolden Aine en Dio in het hoge, groene gras.

Het was bloedheet en vochtig buiten. Aine baande zich een weg tussen de tropische grashalmen. Plotseling bleef ze stokstijf staan. 'Een slang, Dio, een slang,' gilde ze. 'Kijk, daar ligt hij.'

Dio greep een stok en ging op zoek naar de slang. Maar hoe hij ook keek, hij zag niets.

'Je droomt, Aine.'

'En toch zag ik een slang,' mokte Aine verongelijkt, terwijl ze nog eens goed om zich heen keek.

Dio pakte zijn kristallen kruis en stak dit schuin omhoog.

'We kunnen wel een beetje hulp gebruiken, lijkt me.' Maar hoe Dio het kruis ook hield, kardinaal Gregorius bleef weg.

'Als hij ons hier maar kan vinden,' zei Aine ongerust.

Zonder dat Dio en Aine het beseften, werden ze in de gaten

gehouden door een kleine, donkere man. Hij had slechts een lapje om zijn middel. Hij was gewapend met een speer, droeg een ketting van kaaimantanden en had een botje door zijn neus. Hij maakte zich geruisloos uit de voeten en rende zo snel mogelijk terug naar het dorp. Hij had zojuist de grootste ontdekking van zijn leven gedaan. Witte wezens, waarvan een met blonde haren en een engelengezichtje, dat moesten godenkinderen zijn. Of waren het juist vermomde afstammelingen van de duivel?

'Waar blijft die Gregorius nou?' vroeg Dio boos.

'Kardinaal Gregorius is de naam,' zei een strenge stem.

'Waar bleef u nou, kardinaal,' riep Dio.

'Jullie hadden me geroepen?' zei kardinaal Gregorius met een onverstoorbare glimlach.

'Ja, dat klopt. Waar zijn we precies? Waar moeten we heen? We hebben haast en we kunnen uw hulp goed gebruiken.'

'Heeft Kyle jullie dat niet verteld?' begon Gregorius. 'Jullie zijn in het Amazoneregenwoud terechtgekomen. Hier leeft het verdwenen volk van de Ibutsi-indianen. Verdwenen van de aarde sinds 1914 om precies te zijn.'

'Hoe zijn ze zoek geraakt?' vroeg Dio nieuwsgierig.

De kardinaal zweefde dicht naar hem toe. 'Ze zijn ergens in het begin van de twintigste eeuw een kopje kleiner gemaakt door Spaanse avonturiers en soldaten. De Ibutsi-indianen bezitten de zesde wet van de wijsheid. Jullie zijn hiernaartoe gestuurd om die belangrijke wet te achterhalen. En let goed op: dit hoogontwikkelde indianenvolk wordt nog steeds het dromenvolk genoemd. Ze wonen in het dorp dat daarginds ligt. Wees wel voorzichtig, want ze zullen jullie zeker vijandig benaderen als ze jullie ontdekken.

Ze spreken een eigen taal die Ibutsimento heet. Als je hun taal niet spreekt word je gezien als een barbaar die aan de goden moet worden geofferd.

In het Ibutsi-rijk komen mooie, ronde, zwarte magische stenen voor. Zodra je zo'n steen vasthoudt, zal je door de magie vloeiend Ibutsimento kunnen spreken en verstaan. Als je de kracht van hun taal goed gebruikt, zullen jullie deze wereld overleven.'

'Bedankt, kardinaal,' zei Dio. 'We gaan die magische stenen meteen zoeken.'

'Ik ben nog niet klaar,' zei kardinaal Gregorius. 'Ik heb nog een belangrijke mededeling voor jullie.'

Dio en Aine keken hem verontrust aan. Anders klonk hij nooit zo bezorgd, hij was meestal wel grappig.

'Azazel, de heerser van het Rijk van de Dolende Geesten, is woedend omdat jullie al zo ver gekomen zijn in het Rijk van Wijsheid. Jullie moed en slimheid hebben hem verrast en zijn ongebreidelde razernij opgewekt. Zijn gitzwarte ogen spoten vuur toen hij hoorde dat jullie al op weg waren naar de Ibutsi-indianen.

Hij wil hoe dan ook voorkomen dat jullie uiteindelijk de zeven wetten van de wijsheid en het PENTIUM vinden. Daarom heeft hij al zijn Spocks opdracht gegeven om jullie te doden, zodat jullie de laatste twee wetten van de wijsheid niet zullen ontdekken.

Azazels ultieme droom is om met zijn Spocks het Rijk van de Levende Geesten te veroveren en een hel bij jullie op aarde te creëren. Als hem dat lukt, dan heeft het kwaad definitief gewonnen. Om deze oorlog met de levende mensen aan te gaan heeft hij heel erg veel Spocks nodig.'

'Heel erg veel, zegt u? Hoeveel heeft Azazel er in zijn macht?' vroeg Dio.

'Zijn leger is nu al vele tientallen miljoenen Spocks groot en is door het vele kwaad, de criminaliteit en de oorlogen op aarde flink aan het groeien. Azazel hoopt snel de aarde te kunnen veroveren. Als hij jullie weet te stoppen zal over twee dagen en zeven uur eerst het Rijk van Wijsheid ten prooi vallen aan zijn leger. Dan worden jullie zelf een Spock en dan zullen jullie meehelpen het Rijk van de Levende Geesten te veroveren.'

'Dat mag nooit gebeuren,' antwoordde Dio.

'Maak dan voort, en maak geen fouten bij de Ibutsi-indianen.'

Dio en Aine knikten.

'Gisteren zijn alle Spocks door Azazel bijeen geroepen op een immens groot veld. Daar heeft hij over jullie verteld. Stel je een terrein voor dat de omvang heeft van tweeduizend voetbalvelden, dat helemaal vol staat met zeurderige, uit hun bek stinkende wezens. Ik heb het van een grote afstand gezien en ik werd misselijk door de stank.'

'Misselijk? Hoe kan dat nou, u bent toch een geest?' merkte Aine op.

'Kun je nagaan hoe het er stonk.'

De Spocks hebben van Azazel de opdracht gekregen jullie op te sporen, jullie rechterpink te breken en jullie zo naar de ondergang te voeren. Ze verspreiden zich nu razendsnel in het Rijk van Wijsheid. Ze hebben twee dagen en zeven uur de tijd gekregen om jullie op te sporen.

Blijf alsjeblieft bij ze uit de buurt! Jullie hebben nog twee wetten van de wijsheid te gaan. De kans om te slagen is nu groter dan die in tweeduizend jaar is geweest. Het is de komende twee dagen voor jullie én ook voor mij erop of eronder.'

Weg was kardinaal Gregorius. Erop of eronder, dreunde het door Dio's hoofd.

'Aine, we moeten ons kunnen verdedigen tegen die Spocks. We hebben wapens nodig.' Door de ernst van de zaak was Dio heel helder in zijn hoofd. Ze waren dicht bij het doel, maar hadden tegelijkertijd nog een lange weg te gaan. 'Eerst moeten we die ronde stenen zoeken, voordat de Ibutsi-indianen ons vinden. Als we geen Ibutsimento spreken, zijn we totaal kansloos om de zesde wet van de wijsheid te achterhalen.'

Ze speurden de grond af, maar er was niets dat in de verste verte op een platte, gladde zwarte steen leek. Minuten verstreken zonder dat het zoeken enig resultaat opleverde.

'Het vinden van een mier in een bos is makkelijker dan dit,' verzuchtte Aine.

'Ssst,' zei Dio en hij stak zijn hand bezwerend omhoog. 'Ik hoorde iets ritselen.' Aine keek om zich heen.

'Niets te zien, hoor.' Ze had het nog niet gezegd of er klonk een hard gekrijs door het regenwoud. Het was een teken voor de krijgers om aan te vallen.

'Wegwezen, Aine,' riep Dio. Ze renden voor hun leven, maar zagen in hun paniek een afgebroken tak over het hoofd. Dio struikelde en nam Aine in zijn val mee.

'Au, wat doe je nou,' gilde Aine. 'Au, ik heb mijn hoofd ontzettend hard gestoten aan een steen.'

'Steen, wat voor een steen,' vroeg Dio en hij zag twee kleine zwarte stenen liggen.

'Aine, snel. Daar liggen ze, onder die varen,' Aine kroop er snel naartoe en greep de stenen vast. De indianen kwamen steeds dichterbij.

'Hier,' riep Aine. Ze wierp Dio een van de stenen toe.

Dio griste de kleine zwarte steen van de grond en klemde het stevig vast. Meteen voelde hij een vreemde, onbekende rilling door zijn lichaam gaan. Alsof er magische krachten bezit van hem hadden genomen.

Tien Ibutsi-krijgers met puntige speren en vlijmscherpe hakmessen omsingelden hen. Hun gezichten waren wit beschilderd. Dio keek met grote ogen naar de krijgers.

Hij had net als elk jongetje vroeger indiaantje gespeeld, maar als echte indianen je aanvallen is dat toch even iets anders.

'Bind ze vast en breng ze naar het dorp,' beval een van de krijgers. Hij droeg een verentooi.

De commando's waren kort en doelgericht. Dio en Aine merkten tot hun opluchting dat ze Ibutsimento konden verstaan.

Dio dacht na. Hij moest proberen met de krijgers in contact te komen. 'Wij komen uit het Rijk van de Levende Geesten. Wij hebben geen kwaad in de zin,' zei Dio terwijl de krijgers zijn armen achter zijn rug vastbonden met een stuk liaan. De Ibutsi-mannen keken elkaar aan. Het verbaasde hen dat de gevangenen hun taal spraken.

Dio en Aine werden meegevoerd naar een dorpje dat tussen de woudreuzen verscholen lag. De huizen in het dorpje hadden een bijzondere vorm. Ze waren langwerpig, gemaakt van bamboe, rotan, riet en bladeren en gebouwd op palen om bescherming te bieden bij overstromingen van de grote rivier.

Dio en Aine werden bij het Ibutsi-opperhoofd gebracht. Deze zat voor een vuur met een opengesperde kaaimannenkop op zijn hoofd. Het opperhoofd zag er gevaarlijk en agressief uit. Hij bekeek zijn buit doordringend. Dio en Aine sloegen allebei hun ogen neer.

'Waar komen jullie vandaan?' vroeg hij bars in het Ibutsimento.

'Uit het Rijk van de Levende Geesten. Wij komen in vrede,' zei Dio.

'Jullie komen in vrede?' vroeg het Ibutsi-opperhoofd verbaasd.

'Ja, we komen in vrede,' bevestigde Aine.

'Jullie zijn niet door kwade geesten of door Azazel naar ons toe gezonden?'

'Nee.'

Het Ibutsi-opperhoofd ontspande en zette zijn kaaimanmasker af.

'Ik ken u,' zei Dio verbaasd.

Het opperhoofd fronste zijn wenkbrauwen. 'Wij hebben elkaar nog nooit ontmoet.'

'U bent het opperhoofd uit mijn droom. U hebt ons naar het Rijk van Wijsheid geroepen.'

'Maar... dan ben jij de uitverkorene. Jij bent Dio! Mijn contact met jouw ziel heeft dus toch gewerkt.'

Nu was het Dio's beurt om verbaasd te kijken.

'Ik dank alle goden van het universum. Je hebt het tot nu toe gered.' Het Ibutsi-opperhoofd stond op en omhelsde Dio. 'Onze redder. Welkom, hartelijk welkom bij de Ibutsi-indianen.'

Als bij toverslag was de houding van het Ibutsi-opperhoofd veranderd. Nu draaide hij zich naar Aine toe. 'En wie ben jij?'

'Ik ben Aine.'

'En waar hebben jullie Ibutsimento leren spreken?'

'We hebben magische stenen gevonden waarmee we jullie taal kunnen verstaan.'

Het Ibutsi-opperhoofd knikte bevestigend.

'De magische droomstenen, kijk eens aan. Ja, in onze dromen kunnen wij alle talen verstaan. Welkom in het Ibutsirijk.' De lianen werden losgesneden en Dio en Aine werden uitgenodigd om bij het vuur te komen zitten.

'Welkom in het land van de dromende geesten.'

Het opperhoofd pakte uit een rekje een prachtig versierde pijp en deed er tabak in. Nadat hij hem had aangestoken en hem naar zijn mond had gebracht, keek hij Dio en Aine aan. 'De rook uit deze pijp symboliseert de goede bedoelingen van onze geest. Laten wij deze goede geest uitblazen,' zei hij met zijn linkerarm naar de hemel gericht. Het opperhoofd nam een trekje en gaf de pijp door.

Met een vies gezicht namen Aine en Dio ieder een trekje en bliezen ze de rook uit.

Het opperhoofd stond op en liep naar Aine om aan haar lange blonde haren te voelen. 'Prachtig haar,' zei hij bewonderend.

Aine trok onwillekeurig haar hoofd weg. Ze wist niet wat ze van de Indiaan moest denken.

Het Ibutsi-opperhoofd ging weer zitten en stootte een gekke, hoge gil uit. Uit een achterkamer kwam een oudere vrouw met zilvergrijs haar. Ze boog voor Dio en Aine.

Het Ibutsi-opperhoofd knikte even naar de oude vrouw en nam nog een trekje van de vredespijp, die Dio weer aan hem teruggegeven had.

Drie jonge indianen gluurden stiekem uit de achterkamer naar binnen.

'Wat een schatjes,' flapte Aine eruit.

'Dat zijn mijn kleinkinderen,' zei het opperhoofd en hij sloot zijn ogen.

De oude vrouw trok zich intussen weer bescheiden terug in de achterkamer.

'Waarom hebt u ons geroepen?' vroeg Dio.

'Laat ik je eerst iets over ons indianenvolk vertellen. Zoals jullie misschien weten, worden wij het "dromenvolk" genoemd. En dat heeft een reden. Bij de Ibutsi zijn dromen heel belangrijk. Via onze dromen leggen wij contact met iemands ziel. Omdat het Rijk van Wijsheid hermetisch is afgesloten, was een droom onze enige kans om jou te bereiken, Dio.

Vorige week was er een bijeenkomst van alle hoofden uit de zeven verschillende werelden om onze naderende ondergang te bespreken. We realiseerden ons dat Azazel klaar stond om het Rijk van Wijsheid in bezit te nemen en alle wetten van de wijsheid te vernietigen. Van koning Quinn hoorde we dat er in het Rijk van de Levende Geesten niet lang geleden een zonsverduisteringkind geboren was, die in het bezit was van de heilige Bhutaanse beschermketting.

We besloten dat ik zou proberen in de droom van dat kind zou verschijnen om hem over te halen naar het Rijk van Wijsheid te komen. Dit was onze enige kans om de toekomst veilig te stellen.

Daarmee zouden de zeven werelden uit dit onderaardse rijk kunnen ontsnappen. En vervolgens zouden ze als zeven manen rondom Xena, de planeet van de wijsheid, gaan cirkelen.

Azazel zou dan een leeg rijk veroveren en geen inzicht in de wetten van de wijsheid krijgen. En zoals je weet zijn die wetten alleen aan goede geesten voorbehouden.'

Het indianenopperhoofd nam een diepe haal aan de vredespijp.

'Jij was dat kind.'

'Dat is goed gelukt, opperhoofd,' zei Dio. 'Ik ben gekomen. Gelukkig was ik niet alleen. Zonder Aine had ik het niet gered.'

'Ja, jij bent een bijzonder meisje,' zei het Ibutsi-opperhoofd. 'Dat zag ik direct toen ze je hier brachten.'

Aine kreeg een rode kleur op haar wangen van het compliment.

'Goed, verder over ons volk. Dromen bepalen bij ons het

hele leven. Het is onze ziel, die de dromen meemaakt. Elke ochtend als de zon opkomt, bespreken we in een kring onze dromen met elkaar.

Alles wat je in je dromen meemaakt, heeft een betekenis en ik help mijn volk door uitleg te geven over hun dromen. Zo leren wij elke dag weer van wat we dromen. Door mijn jarenlange ervaring met de invloed die dromen op mensen hebben, kon ik jou gelukkig overhalen in de ijskelder te gaan graven.'

Het opperhoofd maakte dat gekke hoge geluid en weer verscheen de oude vrouw vanuit de achterkamer.

'Haal de magische trommel,' beval hij.

De vrouw boog en liep naar de achterkamer. Ze kwam met een prachtig versierde indianentrommel terug.

'Ik weet dat jullie hier zijn om de zesde wet van de wijsheid te ontvangen. Als het donker wordt, zal ik jullie de wet vertellen. Maar jullie krijgen de zesde wet niet zomaar. Jullie moeten een zware beproeving doorstaan om inzicht in de wet te krijgen.'

Aine en Dio reageerden niet.

'Vanavond zal ik jullie zielen op een vooraf bepaalde plaats verstoppen in het Rijk van de Levende Geesten.'

'Eh... liever niet. Dat wil ik niet,' zei Aine.

'Je hebt niets meer te willen. Pas als jullie je eigen ziel teruggevonden hebben, mag ik jullie de zesde wet van de wijsheid vertellen.

De tijd dringt. Over één dag en zeven uur zal de magische bescherming van het Rijk van Wijsheid verbroken zijn. Dan zullen Azazel en zijn Spocks dit rijk innemen. Als jullie voor die tijd je ziel niet hebben gevonden, eindigen jullie als Spock. Jullie zullen dan niet eens een dolende ziel hebben.'

'Waar wordt onze ziel verstopt?'

'Dat bepaalt de magische trommel vanavond, om precies zeven minuten over zeven. Zorg dat jullie op tijd hier zijn. Het zal een zware beproeving worden. Ga naar buiten en leef vandaag als gasten onder onze bevolking. Na het avondmaal begint het ritueel om in het bezit te komen van de zesde wet van de wijsheid.'

Dio en Aine stonden op en bogen voor het opperhoofd. Daarna liepen ze de hut uit.

'Ik wil mijn ziel echt niet kwijt,' zei Aine. 'Wat een engerd, zeg. Hoe kon jij nu in je droom naar hem luisteren?'

'Dat weet ik niet. Het lijkt wel of dat buiten me om ging. Ik leek wel gehypnotiseerd. Misschien heeft hij direct met mijn ziel gesproken. Hij kan blijkbaar door zijn dromen mensen sturen. Ik ben bang dat we geen keus hebben, Aine.'

De rest van de dag brachten Dio en Aine door tussen de indianen.

's Middags werd Dio uitgenodigd om met twee Ibutsi-krijgers het regenwoud in te gaan op jacht naar wilde dieren voor het feest van die avond. Van een krijger had Dio een speer in zijn handen geduwd gekregen. De flinterdunne houten stok met een scherpe ijzeren punt voelde licht aan en Dio waande zich een echte indiaan.

In het regenwoud splitste het groepje jagers zich om zo de kans om een wild dier te vangen te vergroten. Dio sloop met zijn speer door het dichte oerwoud en speurde naar wild toen hij ineens weer die smerige, zure rioollucht rook.

Het was een walm die veel weg had van lang in de zon liggend braaksel. En hij werd alsmaar intenser. Door de waarschuwing van kardinaal Gregorius vanmorgen was Dio extra op zijn hoede.

Spocks, schoot het door hem heen. Ik moet me verstoppen. Maar het was al te laat. Doordat de wind in zijn rug stond, had Dio de Spock pas geroken toen die hem al had gezien.

Ineens sprong er een mager, krom mannetje achter een hoge boom vandaan. Met zijn uitpuilende ogen in zijn kale witte kop keek hij Dio een paar seconden met open mond aan. Zijn glibberige witte huid en kwijlende mond maakten Dio aan het rillen en hij kreeg braakneigingen.

'Het kind,' krijste de Spock terwijl er een stroom zurige, stinkende rioollucht uit zijn mond walmde. 'Ik heb er een gevonden.'

Dio's hart ging als een razende tekeer en zijn hersens werkten op volle toeren.

Vol afschuw keek hij naar het smerige, stinkende wezen. De Spock bewoog niet, als op een foto bevroren. Toen maakte hij aanstalten om de anderen te gaan waarschuwen. Zo snel als zijn dunne, kromme benen hem konden dragen, zette hij het op een lopen.

Als die engerd het lukt Azazel te alarmeren en onze huidige verblijfplaats te verraden, zijn we hopeloos verloren, besefte Dio in een flits.

Hij hief zijn arm en haast vanzelf ging de speer langs zijn oor naar achteren en werd met grote kracht en snelheid naar de vluchtende Spock geworpen. Trillend doorboorde de speer de slijmerige rug en kwam daarna trillend tot stilstand in een tropische woudreus. Dit had Dio in zijn stoutste dromen niet kunnen denken.

De Spock begon te krijsen. 'Je kunt mij niet verwonden of vermoorden, want ik ben al dood.'

Dio durfde niet te kijken en rende met bonzend hart weg, zonder ook maar één keer om te zien.

'Maak me los,' krijste de Spock, die aan de boom gespietst zat en niet meer weg kon rennen.

'Maak me los!'

Dio rende tot hij bij het dorp was.

De andere Ibutsi-krijgers hadden een eind verderop in het oerwoud gejaagd. Ze hadden gelukkig niets van het voorval gemerkt. Tot Dio's opluchting had niemand gevraagd waar zijn speer gebleven was. Ze waren bijzonder trots over hun zeldzame vangst: een echte capibara, het grootste knaagdier dat in het regenwoud leefde. Het malse vlees van de capibara smaakt naar konijnenbout. De indianen waren opgewonden vanwege het feest van die avond.

Dio besloot de vastgenagelde Spock voorlopig maar tegenover Aine te verzwijgen om haar niet ongerust te maken.

De rest van de middag speelden Dio en Aine met een groepje Ibutsi-kinderen bij de rivier. Toch bleef Dio onrustig en hij speurde onder het spelen telkens weer de rivier af of er al Spocks te ontdekken waren. Stel je voor dat die ene zich toch had kunnen bevrijden?

Die avond werden Dio en Aine opgewacht in de hut van het opperhoofd. Ze hadden om zes uur, toen de zon onderging, rijst met gebraden verse capibara gegeten.

'Ik ben zenuwachtig,' fluisterde Aine. 'Ik heb het gevoel dat we een moeilijke avond krijgen.'

'Ik ook Aine. Mijn ziel hou ik liever bij me.'

Het was ondertussen helemaal donker geworden. Dio zag op zijn horloge dat het klokslag zeven uur was. Het Ibutsi-opperhoofd gaf het sein zodat het ritueel kon beginnen. Alleen de wit beschilderde mannelijke krijgers mochten rondom het vuur plaats nemen.

'Ooo...' neurieden de krijgers, terwijl het opperhoofd met een opengesperde kaaimankop op zijn hoofd opstond. Het vuur werd hoog opgestookt. De krijgers hadden een trommel tussen hun benen waar ze nu met gesloten ogen in een traag, ritmisch tempo op sloegen. Het leek wel of ze in een trance belandden.

Het Ibutsi-opperhoofd vroeg Dio en Aine op hun rug te gaan liggen, de ogen te sluiten en zich helemaal te concentreren op het geluid van de trommels.

Verder was het helemaal stil. Zelfs het houtvuur leek zich aan het ritme van de trommelslagen aan te passen en ook de toekan even verderop hield op met krijsen.

Ritmische trommelslagen brachten Dio en Aine in een droomwereld. Aine zag haar vader en moeder ongerust op hun horloge kijken.

'Waar blijft Aine toch?' vroeg haar moeder.

Aine wilde hen troosten en ze riep dat het goed met haar ging, maar ze konden haar niet horen.

Dio zag een open veld met vele miljoenen Spocks, die allemaal zuchtend en stinkend naar het regenwoud liepen.

'We brengen ze naar de ondergang,' zoemde het over het veld. Dio werd misselijk en schrok van het enorme aantal Spocks dat naar hen onderweg leek te zijn.

Om precies zeven minuten over zeven hielden de trommels op met slaan. Het werd helemaal stil.

Dio en Aine lagen als zombies met gesloten ogen op hun rug. Als je niet beter wist zou je denken dat ze dood waren.

'Jullie zielen worden nu meegenomen en op twee verschillende plaatsen verstopt. Deze plaatsen zijn aangewezen door het lot van de magische trommel.'

Dio kon het Ibutsi-opperhoofd woord voor woord verstaan. Ook Aine begreep wat hij zei. Om hen heen zwol weer een mysterieus trommelritme aan. Het opperhoofd stond nu in trance met zijn armen naar de hemel gestrekt.

'Neemt u, o Iris, godin van onze dromen, de zielen van deze stervelingen en verstop ze op de plaats van hun bescherming in het Rijk van de Levende Geesten.'

Daarna zweeg hij.

Het ritme van de trommels versnelde.

'Nee,' schreeuwde Dio. Met een snelle ruk was zijn ziel door Iris, de godin van de dromen, uit zijn lichaam gerukt.

Daarna was Aine aan de beurt. 'Niet doen,' gilde ze. Er trok een hevige pijnscheut door haar heen. Daarna was het stil in haar lichaam, zo stil, als een bergmeer op een vroege zomerochtend.

Godin Iris verdween met de twee kinderzielen onder haar arm.

'Aine en Dio, luister goed naar mij,' zei het Ibutsi-opperhoofd bezwerend. Het trommelen was opgehouden.

'Jullie kunnen nu in je dromen op jacht naar jullie eigen ziel. In jullie dromen kunnen jullie door tijd, ruimte en het universum reizen.

Pas als jullie alle twee je ziel weer gevonden hebben en hebben teruggebracht in jullie lichamen, zal de zesde wet van de wijsheid zich aan jullie openbaren.

Jullie moeten wel voortmaken. Jullie hebben slechts weinig tijd tot jullie beschikking. Ik geef jullie bij het zoeken slechts één aanwijzing: jullie zielen liggen verborgen bij het heiligste van het heiligste dat jullie met je meedragen.'

Toen was het helemaal stil.

Dio en Aine droomden eerst dat ze elkaar vonden. Hun dromen waren heel levensecht. Het verschil met de werkelijkheid was dat ze zich nu in een oogwenk door ruimte en tijd konden verplaatsen. Ze overlegden samen.

'Dit is een onmogelijke opgave,' zei Dio. 'Stel je eens voor dat je ziel op elke plaats in het universum verstopt kan liggen, en niet alleen in de tegenwoordige tijd, maar ook op elk tijdstip in het verleden. Dat zijn dus duizenden triljarden plaatsen en tijdstippen waar hij kan zijn.'

Aine luisterde niet. Ze zag iets in de lucht bewegen.

'Dio, kijk daar eens.'

In de verte vlogen intens witte wezens, met vleugels en een gouden stralenkrans om hun hoofd.

Verbaasd keken Aine en Dio naar die engelen in het dromenrijk. Twee van die prachtige witte engelen vlogen op hen af.

'Hallo, Dio. Hallo, Aine.'

'Hoe weten jullie onze naam?' vroeg Aine verrast.

'Omdat we al sinds jullie geboorte jullie beschermengelen zijn.'

'Hebben wij een beschermengel?'

'Ja natuurlijk. Bij de geboorte krijgt ieder mens in het Rijk van de Levende Geesten een beschermengel uit het dromenrijk toegewezen. Wisten jullie dat dan niet?'

'Nee, dat heb ik nog nooit gehoord,' moest Dio toegeven.

'Ieder kind heeft vanaf zijn geboorte in dit universum een gids, die zijn hele leven bij hem blijft, hem helpt en hem beschermt. Ook een bijzonder kind als jij, Dio. Als beschermengel zijn we helaas niet vaak actief. We mogen namelijk alleen voor mensen werken die in ons geloven. Beschermengelen leven niet in de werkelijke wereld, maar in het rijk van de dromen. Heel soms zien mensen ons in hun dromen, maar dan denken ze: ach, het was maar een droom. Heel gevoelige mensen kunnen ons ook op aarde zien als ze wakker zijn.'

'Dat wist ik echt niet,' zei Dio. 'Daarom heb ik ook nooit in jullie geloofd. Maar mooi dat jullie er nu zijn. Een beetje hulp kunnen we wel gebruiken. Als jullie ons beschermen, kunnen jullie ons toch ook snel weer naar huis brengen, naar onze vader en moeder?'

'Dio, dat valt me van je tegen,' zei zijn beschermengel. 'Jij bent toch niet voor niets op zo'n bijzonder moment geboren? Jullie hebben een belangrijke taak te vervullen.'

'Dat is waar,' zei Aine. 'Jullie kunnen ons toch wel helpen met die taak. Tenslotte geloven we nu wel in jullie.

'Uiteraard, daarom zijn we hier.'

'Mooi, we moeten onze zielen terugvinden,' zei Aine, 'en dat is nogal ingewikkeld.'

'Weten jullie iets meer over waar jullie zielen verstopt zouden kunnen zijn?' vroeg een van de engelen. Zijn gouden glans lichtte op.

'We hebben een aanwijzing gekregen dat onze zielen verborgen liggen bij het heiligste van het heiligste dat we met ons meedragen,' zei Dio.

De engelen begonnen te lachen. 'Dat is heel slim van Iris, onze godin.'

'Waar liggen ze dan?' vroeg Aine nieuwsgierig.

'Denk eens goed na. Wat dragen jullie met je mee?'

Aine en Dio keken hun beschermengelen schaapachtig aan.

'Goed nadenken, hè. Het is zo simpel.'

Aine en Dio haalden op hetzelfde moment hun schouders op.

'Kom zeg, jullie hebben niet eeuwig de tijd.'

'We weten het echt niet,' zei Dio tenslotte.

'Voel eens om jullie nek,' tipte de engel.

'Natuurlijk, we dragen beiden een beschermketting.'

'Juist ja,' verzuchtte de engel. 'En wat is het heiligste van het heiligste bij de Bhutaanse monniken? Dio?'

'Bedoelen jullie soms tempel nummer 777?'

'Bingo...! Veel succes. Ga maar snel, je hebt weinig tijd.' Dio trok zich terug in zijn droom.

De andere beschermengel boog zich naar Aine.

'Waar komt jouw beschermketting vandaan?'

'Van mijn oma uit Ierland.'

'Jij bent in het bezit van de magische Keltische beschermring. Die ring is duizend jaren oud en van generatie op generatie doorgegeven. Waar denk je dat jouw ziel kan liggen Aine?'

'Bij mijn oma's huis,' antwoordde Aine.

'Precies. Ik zou daar maar eens gaan zoeken als ik jou was,' zei de beschermengel. 'Je weet nu genoeg. Droom je naar je ziel toe, pak hem weer op en breng hem zo snel mogelijk hier terug. O, en Aine... vergeet nooit dat je een beschermengel hebt.'

Weg zweefde ook de tweede beschermengel. Zo gauw de engel uit zicht was verdwenen, droomde Aine weg naar het Ierse plaatsje Gatunbury, bij Lake Avalan. Hier had Scully haar oma gekend. Aine zweefde langs prachtige, groene heuvels tot ze aan de oever van het meer een oude ruïne zag liggen. Binnen brandde er een olielamp. Aine keek door de ramen en zag een oude vrouw aan een oude houten tafel zitten. Dat moest haar oma zijn. Voor haar op tafel stond een ebbenhouten kistje. Aine zweefde door de muur naar binnen.

'Ik heb op je gewacht, Aine,' zei haar oma meteen.

'Oma! Kunt u me verstaan?'

'Ja kindje, ik heb op je gewacht.'

'Ik dacht dat u dood was, oma.'

'Niet in je droom, Aine. Wat ben je mooi geworden.'

'Ik ben op zoek naar mijn ziel, oma.'

'Weet ik kindje, daarom heb ik ook op je gewacht. Hij zit in dit kistje. Neem hem mee en breng hem terug naar het Rijk van Wijsheid.'

'Oma, ik wil graag alles van u weten,' zei Aine.

'Nu niet, je hebt maar weinig tijd. Ga terug en voer je taak uit. Ik zal het zien en trots op je zijn.'

'Dag, lieve oma. Wilt u tegen mama zeggen dat het goed met mij gaat.'

'Dat zal helaas niet gaan. Maak voort en zorg dat de wijsheid niet in Azazels bezit komt.'

Ook Dio was dromend met zijn geest door ruimte en tijd gereisd. Het was prachtig stil daar boven in de Himalaya. De zon weerkaatste op de eeuwige sneeuw van de Himalayareuzen. Als er op de wereld magie bestond, dan was het wel op deze plek.

Hoewel het een droom was, genoot Dio van de stilte. In de verte zag hij het tempelcomplex van de Bhutaanse monniken al liggen schitteren in de zon.

Overal zaten groepjes monniken te mediteren. Dio zweefde over het tempelterrein, maar niemand leek hem op te merken. Daar, precies in het midden van het tempelcomplex, stond op een kleine verhoging tempel nummer 777. Dio zweefde naar binnen.

Het was er donker en stoffig. Slechts door een klein raampje viel licht naar binnen, dat weerkaatste op het hoofd van de gouden Boeddha. Voor het boeddhabeeld lag een ebbenhouten kistje.

Iets in Dio zei dat zijn ziel daar verstopt moest liggen. Hij pakte het kistje mee en zweefde terug naar het Rijk van Wijsheid.

Dio en Aine troffen elkaar precies op het punt waar ze uit elkaar waren gegaan. Alleen hadden ze nu alle twee een houten kistje. De houten kistjes bleken identiek te zijn.

'Precies tegelijk het kistje openen, Aine,' commandeerde Dio. 'Ik tel af. Een, twee, drie.'

Op het moment dat ze hun kistjes openden, zonken hun zielen weer terug in hun lichaam. Met een schok werden Dio en Aine wakker bij het vuur van de Ibutsi-indianen.

Er was geen trommelgeluid meer te horen. Het was helemaal stil en het vuur was praktisch uit zichzelf gedoofd en smeulde nog wat na.

'Leef je nog, Dio?' vroeg Aine.

'Ja, hoor. Volgens mij ben ik helemaal springlevend, met ziel en al,' antwoordde Dio.

'Bijzonder, heel bijzonder,' zei het Ibutsi-opperhoofd. 'Wonderbaarlijk genoeg is het jullie gelukt je eigen ziel terug te vinden. Nu is de weg vrij om jullie de zesde wet van de wijsheid te vertellen. Luister goed naar mijn verhaal.'

'Wij zijn het droomvolk,' begon het Ibutsi-opperhoofd. 'Velen geloven dat een mens alleen een lichaam en een geest heeft, maar zij vergeten dat er in iedere mens wel degelijk een ziel huist.

Deze ziel kun je voelen: hij zit net boven je neus, precies tussen je ogen. De ziel is belangrijk voor je ontwikkeling als mens en werkt vooral 's nachts.

Als jullie slapen, gaat de ziel op pad. Hij kan door tijd en ruimte reizen en ontmoet op zijn reis de zielen van andere mensen. Dat is wat je ziet in je dromen.'

'Dus wat je droomt is wat je ziel meemaakt,' vatte Aine samen.

'Precies. Wij geloven dat alles wat je ziel meemaakt een betekenis voor je heeft. Je droomt dus niet toevallig iets, maar dromen zijn de taal van je ziel om je wat te vertellen. Luister goed naar je dromen en probeer de boodschap te achterhalen.'

'Wat gebeurt er als je niet droomt?'

'Mensen die nooit dromen, hebben het contact met hun ziel verloren. Ze zijn afgesloten van wie ze zelf zijn. Dat levert een onplezierig gevoel op als je niet weet wie je bent. Je kunt je ziel weer vinden door rust in jezelf te zoeken. Dat kan door goed naar jezelf te luisteren.

Jullie hebben net geleerd hoe je met je dromen door alle tijd en ruimte kan reizen.'

Dio en Aine knikten allebei bevestigend.

'De mooiste avonturen beleef ik vaak 's nachts,' antwoordde Dio.

'Ja, bijna alle kinderen hebben een goed contact met hun ziel. Dat contact gaat soms bij het ouder worden verloren. De Ibutsi-indianen staan nog zo dicht bij de natuur dat ook volwassenen elke nacht dromen. We doen er alles aan om onze ziel gezond te houden en te gebruiken. Van kinds af aan leren wij binnen onze stam hoe we onze dromen kunnen gebruiken. We nemen de belangrijkste beslissingen in ons leven op basis van onze dromen.

Voor het slapengaan stellen we een vraag waar we over moeten beslissen, met de kanttekening dat we zodra we de volgende ochtend wakker zijn het antwoord willen weten.

Meestal dromen we dan iets wat ons een rechtstreekse aanwijzing geeft voor het juiste antwoord. Bij het wakker worden weten we wat we moeten doen. Zo helpen onze dromen ons in het dagelijkse leven.'

Het Ibutsi-opperhoofd sloeg zes keer op de trommel, ten teken dat het hier om de zesde wet van de wijsheid ging. Toen maakte hij de onderkant van de trommel open en gaf Dio een opgerold papiertje, dat de jongen nieuwsgierig openrolde. In Ibutsimento stond er het volgende geschreven:

De zesde wet van de wijsheid
De wet van utopie en dromen

Nu begreep Dio ook waarom de Ibutsi het dromenvolk werd genoemd.

Dio gaf het papiertje met een lichte buiging terug.

Op een scherpe gil van het Ibutsi-opperhoofd kwamen er drie vrouwen aangelopen met rijstwijn en bekers.

Met een vies gezicht namen Dio en Aine een klein slokje. De krijgers zaten druk met elkaar te praten.

Het ritueel was afgesloten en korte tijd later gingen Dio en Aine net als de indianen naar hun slaapplek.

De droom die Dio had gehad over de duizenden Spocks die op weg waren naar het oerwoud, liet hem niet los. Die droom zou voor hem een betekenisvolle boodschap bezitten. Voordat hij in slaap viel, stelde Dio de volgende vraag: 'Ik heb miljoenen Spocks gezien die naar ons op jacht zijn. Ze zullen ons morgen vinden en ze zijn te talrijk om mee te vechten. Hoe kan ik de Spocks dan verslaan? Morgen bij het wakker worden wil ik het antwoord weten.'

Met deze vraag aan zijn ziel viel Dio in slaap, en hij droomde van drie boeddhistische monniken. Hij zag hoe de oudste monnik, Tinga, hem een ketting met de vijfpuntige amulet om deed en murmelde dat deze ketting hem tegen het kwaad zou beschermen.

Toen hij wakker werd, wist Dio dat de Bhutaanse beschermketting het geheime wapen was tegen de Spocks. Zolang hij de beschermketting om had, konden ze niet dichterbij komen. Het was net alsof hij werd beschermd door een magnetisch veld om hem heen.

Ook Aine zou door de Bhutaanse beschermketting beschermd worden zolang ze Dio maar vasthield. Dat was de manier om uit de handen van de Spocks te blijven.

Toen Aine wakker werd, vertelde Dio zijn droom.

'Gelukkig,' zei Aine. 'Nu voel ik me iets veiliger. Ik zal je goed vasthouden Dio.'

'Op naar de zevende wereld,' zei Dio en hij pakte Aine bij de hand vast.

'De laatste,' verzuchtte Aine.

'Jullie moeten stroomafwaarts lopen,' zei het Ibutsi-opperhoofd bij het afscheid. 'De rivier zal jullie bij het zevende Rijk van Wijsheid brengen.'

Het hele dorp zwaaide hen uit. Als afscheidscadeau gaven Dio en Aine de twee kleine, inktzwarte, platte magische stenen aan het Ibutsi-opperhoofd.

'Hopi aksito blanku yiu,' had het Ibutsi-opperhoofd hen nageschreeuwd.

Dio en Aine keken elkaar niet-begrijpend aan. Ze wisten niet dat hij hen 'veel succes, witte kinderen' toewenste.

Vrijdag

Terwijl Dio en Aine hand in hand stroomafwaarts langs de rivier liepen, was het dieper in het woud een drukte van belang. Duizenden en nog eens duizenden stinkende Spocks stonden rondom de aan de boom gespietste Spock.

Ze gorgelden en rochelden tegen elkaar in hun eigen taaltje, terwijl er zich uit de wildernis steeds nieuwe Spocks bij de groep voegden.

'Ze moeten worden gespockt,' zoemde het door de menigte. Azazel verscheen in een rode gloed en ging op een grote steen naast de vastgeprikte Spock staan.

Het rumoer hield op en gespannen keken de Spocks hem aan. Azazel stak een manshoog, roodgloeiend zwaard waar de rook nog vanaf kwam de lucht in en sprak met luide stem de menigte Spocks toe.

'Wraak, Spocks, wraak aan de twee barbaarse indringers,' schreeuwde hij over de vlakte. Een instemmend gemompel was het antwoord. 'Ze zijn slechts één wet van de wijsheid verwijderd van de bevrijding van dit rijk. Breng ze bij mij, dood of levend. Vanavond zijn ze uitgeschakeld, zowaar ik Azazel heet.'

De steen werd omgeven door een rookgordijn, waarin Azazel oploste. Hij had zijn opruiende werk gedaan en was ervan overtuigd dat Dio en Aine niet veel verder meer zouden komen in dit rijk.

Er klonk een agressief gemompel onder de Spocks. De aan de boom vastgeprikte Spock genoot. Hij had hun agressie hevig aangewakkerd en ze konden alleen nog maar denken aan wraak.

Vele tienduizenden Spocks zetten zich in beweging en marcheerden met woeste blik in de richting van de rivier. Het uur van de wraak was nabij.

Ze volgden het pad van hun prooi. Dieren vluchtten en kaaimannen doken onder bij het ruiken van zoveel stinkende wezens langs de rivier.

'Wraak, dood,' klonk het uit al die kwijlende monden, die vol rotte, donkerbruine en gele tanden en kiezen stonden.

Dio en Aine hadden geen flauw idee wat er achter hen gaande was. Ze liepen rustig langs de oever in de richting van het zevende Rijk van Wijsheid. Toen Aine dorst had, stopten ze en schepten wat water uit de rivier.

Het was stil in het regenwoud, alsof de dieren voelden dat er iets groots stond te gebeuren. Alleen een verdwaalde aap sprong krijsend van boom tot boom.

'Ik hoor iets,' zei Dio. 'Het lijkt wel gestamp in de verte. Ik ben er niet gerust op, laten we doorlopen.'

Ze vervolgden hun pad in versneld tempo, alsof een onzichtbare kracht hen voor het naderende gevaar had gewaarschuwd. Misschien waren het hun beschermengelen geweest, die hen tot grotere spoed hadden gemaand.

De weg ging nu steil omhoog en in de broeierige, tropische warmte waren Dio en Aine snel buiten adem. Ze rustten even uit op een steen. Aine zag een grote, groengele cobraslang in de struiken wegglippen. Ze gilde niet, zoals ze had gedaan bij het zien van de eerste slang.

'Ik ben bang, Dio. Ik voel het onheil naderen.'

'Het echte gevecht met Azazel gaat nu beginnen. Ik ben ervan overtuigd dat hij nooit had ingeschat dat wij zo ver in dit rijk zouden komen. Nu zal hij er zelf actief voor gaan zorgen dat wij worden vernietigd. Laten we maar gauw verder gaan.'

Kort daarna bereikten ze de top van de heuvel en zagen uit over het immense regenwoud.

'Kijk daar, Dio!' Met stokkende adem wees Aine naar de rivieroever in de diepte, niet ver van hen vandaan.

Het zag er wit van de Spocks. In een onafzienbaar lange rij marcheerden honderdduizenden niets ontziende Spocks gestaag hun kant op. Aan de andere kant zagen Dio en Aine in de verte een eiland in de riviermonding liggen. Op het eiland stond een prachtig en bijzonder kasteel. Een gouden koepel schitterde in de felle ochtendzon.

'Dat moet de zevende wereld van de wijsheid zijn.'

'Rennen, Dio.'

Aan het geschreeuw achter hen te horen hadden de Spocks hen op de heuvel zien staan. Steeds sneller marcheerden ze langs de oever. Alles wat op hun pad kwam, dieren, bomen en planten, werd platgewalst door de woedende Spocks. Het kwaad was ontketend.

Dio en Aine renden de heuvel af. Ze merkten algauw dat hun voorsprong op het leger snel aan het krimpen was. Ze renden zo snel ze konden. Maar hoe ze ook hun best deden, het gat tussen hen en de naderende Spocks werd alsmaar kleiner.

Het spierwitte kasteel in de riviermonding was nog ver weg toen ineens honderden Spocks de weg versperden. Nu waren ze verloren. Dio dacht razendsnel na.

Achter hen liep een leger van honderdduizenden Spocks, de weg vóór hen werd geblokkeerd door een paar honderd woedende Spocks, links van hen was de rivier, waar het wemelde van de kaaimannen, en rechts het dichtbegroeide regenwoud, waar geen pad te bekennen was. Het was nu erop of eronder.

'Hou me goed vast. We gaan dwars door de Spocks heen lopen,' riep Dio. 'We hebben geen andere keuze. Ik hoop dat mijn Bhutaanse beschermketting haar werk zal doen.'

Vastberaden liepen ze op de rochelende wezens af.

'Laat mij in geen geval los,' riep Dio boven het gemurmel van de Spocks uit.

Toen ze de Spocks bereikten was de stank niet te harden. De lucht benam hun de adem. Er brandde een zurige walm in hun keel waar ze misselijk van werden.

'We gaan er dwars doorheen,' schreeuwde Dio.

Zoals een gloeiend heet mes door de boter snijdt, zo liepen Dio en Aine dwars door de groep Spocks heen. De stinkende, agressieve mannetjes probeerden Dio en Aine aan te vallen, maar zodra ze in de buurt van de Bhutaanse beschermketting kwamen, werden ze bijna als vanzelf omver getrokken en konden Dio en Aine doorlopen.

Dio had nog nooit zoveel agressie en weerzin gezien als op deze gezichten. Hij probeerde ze niet aan te kijken. Hun ogen weerspiegelden de wil om te vernietigen en Dio vond die blik ondraaglijk. Elke Spock had een achterwaarts gebroken rechterpink.

De bescherming van de ketting was sterk. Aine en Dio liepen dwars door de Spocks heen, terwijl ze elkaar stevig vasthielden. De stinkende wezens gaven echter niet op. Ze omsingelden Dio en Aine telkens weer opnieuw. Zodra een van hen los zou laten, zouden ze direct toeslaan. Uitgeput, misselijk en bang bereikten Dio en Aine de monding van de rivier. In het midden daarvan stond de spierwitte burcht.

Het toegangshek naar het zevende land van de wijsheid was gesloten, om Spocks te weren. Dio keek naar de uitkijkposten van het kasteel. Er stonden geen ridders of soldaten op wacht, maar kinderen.

Ze moesten in dat kasteel zien te komen, anders overleefden ze dit avontuur nooit. De Spocks zouden hen nooit meer met rust laten. Ze zouden wachten totdat Dio en Aine elkaar zouden loslaten. In hun slaap kon dat gemakkelijk gebeuren en dan zouden de Spocks direct toeslaan en hun rechterpink naar achteren breken, zodat Dio en Aine voor eeuwig in hun macht zouden zijn. Dat nooit! De spierwitte burcht was hun enige kans.

Dio pakte met zijn vrije hand het kristallen kruis en stak het schuin omhoog. Als de kardinaal nu maar kwam. Bij hem wist je het nooit. Gelukkig liet hij niet op zich wachten.

'Jullie hadden mij geroepen?' vroeg kardinaal Gregorius. 'Getver, wat stinkt het hier, zeg.'

'Wat ben ik blij dat u snel kon komen. Hoe komen we zonder Spocks bij dat kasteel?' zei Dio.

'Gemakkelijk zat. De bewoners van Genius Valley zullen jullie meteen binnenlaten als er geen Spocks in de buurt zijn. Ze zijn er doodsbang voor en willen niet het risico lopen dat er een mee naar binnen glipt.'

'Hoe raken we dat stinkende leger dan kwijt?' vroeg Dio. Hij werd steeds zenuwachtiger en de angst stond op zijn gezicht te lezen. Hij hoorde het leger steeds dichterbij komen en wist naar wie ze op zoek waren. Dio was banger dan hij ooit was geweest. Zijn angst voor de weermollen viel erbij in het niet. Honderdduizenden Spocks zouden hem zo dadelijk omsingelen. Er moest iets gebeuren.

'Ze kunnen niet tegen water,' antwoordde Gregorius rustig. 'In water lost hun glibberige huid op. Dus daar ligt jullie redding. Ga het water in en zwem zo snel mogelijk naar het eiland midden in de rivier. De Spocks zullen eerst een brug naar het eiland of boten moeten bouwen en dat kost tijd. Op het eiland is er een steil pad dat tot het kasteel voert. Snel, jullie hebben maar weinig tijd.'

'Maar er zitten krokodillen in de rivier,' piepte Aine.

'Dat risico moeten jullie nemen. De rivier is jullie enige kans om te ontsnappen.'

Kardinaal Gregorius loste op in het niets.

'Op hoop van zegen, Aine. We zwemmen zo snel als we kunnen naar het eiland.'

Samen sprongen Dio en Aine in het snelstromende, koude water. De gorgelende, stinkende achtervolgers bleven woedend achter op de kant.

Dio had drie jaar moeten zwoegen om zijn zwemdiploma te halen. Uit pure angst zwom hij nu als een olympische zwemkampioen.

In de verte kwam een vlot van boomstammen met tientallen Spocks erop de rivier afzakken. Als het vlot het eiland eerder zou bereiken, was alles voor niets geweest. Dan zou de poort gesloten blijven.

Het geluk werkte mee. De kaaimannen lieten zich niet zien en Dio en Aine bereikten als eersten het eiland van Genius Valley. Met hun laatste krachten renden ze naar het kasteel.

Langzaam en piepend ging het toegangshek van het kasteel open.

'Snel, snel,' schreeuwden ze in de burcht. De eerste Spocks sprongen al van het vlot op het eiland en liepen zo snel hun kromme benen ze konden dragen naar de poort.

'Rennen, Aine, anders zijn we te laat,' schreeuwde Dio.

Ze waren in het kasteel zo bang voor het naderende leger dat ze het hek alweer begonnen te sluiten. Dio en Aine hadden nog vijftig meter te gaan.

Net voordat de zware poort in het slot viel, glipten ze naar binnen.

'Gehaald,' riep Dio.

Hij lag met Aine achter het valluik uitgeput op de grond. Ze waren veilig voor de Spocks. De poort werd met een zware balk gebarricadeerd.

Aan de andere kant stonden tientallen woedende Spocks die met stokken tegen de deur sloegen. Hun prooi was hen ontsnapt.

Uit de burcht kwam iedereen opgelucht naar Dio en Aine toe gerend.

'We zijn er!' zuchtte Aine opgelucht.

'Welkom in Genius Valley,' zei een lang meisje met lang, zwart piekhaar, dat van Dio's en Aine's leeftijd was. 'Mijn naam is Vevina.'

Als je niet beter wist, zou je denken dat Vevina een zusje van Dio was.

Ze stak haar hand uit om Dio en Aine overeind te trekken.

'Dat scheelde niet veel,' zei Vevina.

'Zonder jullie hadden we het niet gered. Die Spocks zijn verschrikkelijk,' zei Dio.

Vevina knikte. 'Ik heb er nog nooit zoveel bij elkaar gezien. Gelukkig zijn ze niet slim genoeg om wapens te maken, zodat dit kasteel altijd een veilige basis zal zijn.'

'Genius Valley?' vroeg Dio vragend, terwijl hij zijn kleren zo goed mogelijk uitwrong.

'Klopt, Genius Valley. Dit kasteel is een burcht voor hoogbegaafden,' zei Vevina. 'Alleen wanneer je jonger dan zestien jaar bent en een IQ hoger dan 150 hebt mag je hier wonen. Dat maakt onze wereld zo bijzonder. Waar komen jullie vandaan?'

'Wij komen uit het Ibutsi-rijk,' antwoordde Aine.

'Ja, dat begreep ik al,' zei Vevina. 'Laat me raden. Jullie komen niet van hier, maar van de aarde en zijn op zoek naar het PENTIUM van de wijsheid. Ik had vorige week al begrepen dat jullie in je dromen geroepen zouden worden. Als ik me niet vergis moeten jullie alleen nog de laatste wet van de wijsheid hebben en die is hier in Genius Valley aanwezig. Ik vermoed dat wij jullie laatste wereld zijn, omdat al die Spocks van Azazel achter jullie aan zitten.'

'Hoe weet jij dat allemaal?' vroeg Aine verbaasd.

'Ik denk sneller dan de meeste mensen met hun ogen kunnen knipperen. In één ogenblik zie ik twintig achtereenvolgende stappen vooruit.'

Tss, wat een opschepster zeg, dacht Aine.

Vevina sloeg haar armen om de schouders van Dio en Aine. 'Vrienden, jullie krijgen droge kleren en daarna gaan we plezier maken. We drinken limonade en eten zoveel snoep als je zelf wilt.'

'Klinkt goed!'

Dio en Aine liepen met de Genius Valley-kids de spierwitte burcht in.

'Net een sprookjeskasteel,' fluisterde Aine.

De muren van de burcht leken gemaakt van wit suikergoed. Overal waren er prachtig versierde, hemelwaarts gerichte portalen met spitse witte torens. Het fraaie beeldhouwwerk en de ingenieus gebouwde, spiraalvormige ramen gaven de zaal een mysterieuze sfeer. 'Geweldig,' stamelde Dio. Zijn stem weergalmde in de enorme ruimte.

Vevina lachte. 'Dit is de toegangspoort naar de tempel van de wijsheid.' Ze wees naar een grote, met goud beslagen deur waar negentien witte vakjes op zaten. 'Achter die deur ligt het PENTIUM, de sleutel van de wijsheid. Het is nog nooit iemand gelukt om de gouden kamer te betreden. De deur gaat alleen open met een geheime code. Helaas is die nog nooit gevonden.

In Genius Valley werken wij al honderden jaren aan het vinden van deze code. Tot nu toe zonder resultaat.' Vevina zuchtte. 'Laten we eerst wat gaan drinken.'

Dio en Aine liepen achter Vevina aan naar de binnenplaats van het kasteel, waar een lange houten tafel vol met limonade en snoep en koek stond.

'Val aan! Tijd om te snoepen,' galmde Vevina over de binnenplaats.

Dio en Aine renden naar de gedekte tafel. Gevulde koeken, spekjes, dropballen en heerlijk zachte, romige chocolade – alles werd zo snel mogelijk naar binnen gepropt.

'Eet maar zoveel jullie op kunnen,' zei Vevina. Ze schonk limonade in voor Dio en Aine.

'Wat een genot hier in Genius Valley,' zei Aine met een mond vol spekjes. Ze keek om zich heen op de binnenplaats en hield plotseling op met kauwen.

'Julie,' riep ze verbaasd tegen een meisje met pikzwart haar. 'Julie, ben jij dat? Wat doe je hier?'

'Aine.'

De twee meisjes vielen elkaar in de armen.

'Julie, ik ben zo blij dat ik je weer zie.'

Julie was Aine's beste vriendin geweest. Waar je Julie zag, was Aine en als je Aine op het schoolplein zag lopen, was Julie altijd bij haar in de buurt. Samen hadden ze gezworen voor altijd hartsvriendinnen te zijn.

Toen werd Julie ziek. Ze had een griepje opgelopen. In eerste instantie leek het onschuldig. Julie werd echter maar niet beter. Toen werd Julie onderzocht en bleek dat ze ernstig ziek was. Ze had leukemie en zou niet meer beter worden.

Haar energie en kracht vloeiden langzaam weg. En op een ochtend was Julie gestorven.

Aine had geschreeuwd en gehuild. Haar hartsvriendin was weg en zou nooit meer terug komen. Sindsdien had Aine bijna elke avond aan Julie gedacht. En nu vond ze haar hier terug!

Aine omhelsde Julie nog een keer. Nu wist ze dat Julie niet dood was, maar hier in Genius Valley woonde.

'We zijn weer even bij elkaar,' zei Julie.

'Ja, niet te geloven,' antwoordde Aine.

Ze sloeg haar arm om Julie's schouders en samen liepen ze naar Dio.

'Julie, dit is Dio, mijn allerbeste vriend.'

'Hoi,' groette Dio.

'Dio, dit is Julie, mijn allerbeste vriendin,' zei Aine met een brede glimlach op haar gezicht.

Ze trok Julie mee. De twee hadden veel te kletsen.

'Tijd voor het samen spelen,' kondigde Vevina aan. 'Zin in een spelletje schaak?'

Dio, Julie en Aine knikten instemmend. Er werd geschaakt in de enorme ridderzaal van de burcht. Aan de wanden hingen prachtig beschilderde schilden, die zo uit de Middeleeuwen leken te komen.

Er stonden tien enorme houten tafels naast elkaar opgesteld, met op elke tafel tien schaakborden compleet met schaakklok en toeter.

'In Genius Valley spelen we multischaak. Dat is een spel dat is bedoeld om het schaken wat ingewikkelder te maken. Het gaat zo: twee spelers schaken tegen elkaar op een grote houten tafel met tien verschillende schaakborden. In het midden staat een schaakklok, waar je op moet slaan als je een zet op een van de tien schaakborden hebt gedaan. Iedere speler moet binnen vijf seconden een zet doen en hij mag nooit twee keer achtereen een zet op hetzelfde schaakbord maken. Als je niet binnen vijf seconden hebt gezet, gaat de toeter en mag de andere partij een schaakstuk van jouw bord nemen.'

'Julie, mag ik je uitdagen?' vroeg Vevina.

'Met alle plezier,' antwoordde Julie, terwijl ze Aine een knipoog gaf.

In een enorm hoog tempo, waardoor Dio en Aine het spel met hun ogen nauwelijks konden bijhouden, speelden de twee meisjes in acht minuten tien schaakborden uit. Even was Julie te laat met haar zet en ging de toeter. Vevina pakte razendsnel de koningin van Julie's achtste schaakbord en vervolgde het spel. Uiteindelijk eindigde de partij onbeslist met drie gewonnen partijen voor Vevina, drie gewonnen partijen voor Julie en vier keer remise.

'Hoe kunnen jullie zo snel schaken?' vroeg Aine.

'We hebben gewoon tien verschillende schaakborden met de opstelling in ons hoofd. Door razendsnel van het ene naar het andere schaakbord te flitsen, zijn we in staat snel zetten te doen en per schaakbord een strategie te ontwikkelen. We spelen multischaak omdat het een goede training is voor onze hersens is. De allerslimsten uit Genius Valley spelen op vijftien schaakborden tegelijkertijd. Het record ligt op het simultaan spelen op vijfentwintig schaakborden.'

Het werd Aine duidelijk te veel.

'Ik wist niet dat je zo slim was,' zei ze tegen Julie.

'Ach, je leert veel in Genius Valley.'

'Hebben jullie hier geen computergames?' vroeg Dio, die ontzettend veel zin had om eindelijk weer eens op de computer te mogen spelen.

'Nee, al hebben we ze wel geprobeerd. Die games zijn echter veel te gemakkelijk te kraken voor ons. Binnen een halfuur hebben we vaak het eindlevel al bereikt. Te saai dus, eigenlijk. Wij spelen liever braingame.'

'Braingame?'

'Ja, ik zal je het laten zien.' Vevina trok Dio mee.

Ze liepen met z'n vieren een wenteltrap op en kwamen boven in een soort collegezaal. Aan weerskanten stond een tribune met ongeveer tien spelers opgesteld.

In het midden tussen de tribunes werd op een groot scherm een vijf bij vijf matrix geprojecteerd waar vijf getallen op stonden. De groep die het eerst de matrix zo kon invullen zodat zowel de horizontale rijen als de verticale kolommen en de diagonalen hetzelfde getal opleveren, had gewonnen.

Dio en Aine keken toe hoe de volgende matrix op het scherm verscheen.

				19
	25		12	
22				
		17		

Een scheidsrechter in een zwart-wit geruit jasje blies op een fluitje ten teken dat de braingame begonnen was.

Het was meteen een chaos op beide tribunes. Sommige spelers schreeuwden de oplossing naar elkaar. De andere hoogbegaafden zaten in schrijfmappen in snel tempo berekeningen te maken. Na exact drie minuten ging de toeter van de linkertribune.

'Wij hebben de oplossing,' zei een jongetje van een jaar of acht blij. 'Het totaal van de rijen, kolommen en diagonalen is 65 en dit zijn de getallen.'

Hij liep naar een flip-over in het midden van de zaal en schreef de getallen op.

1	2	20	23	19
3	25	4	12	21
22	18	13	5	7
24	6	11	16	8
15	14	17	9	10

'Het klopt,' zei Vevina, zodra ze de getallen op papier zagen staan.

'Hoe weet jij dat?' vroeg Dio.

'Dat zie ik direct. Mijn hersens werken razendsnel alle mogelijke combinaties af en er verschijnt uiteindelijk een eindplaatje in mijn hoofd waar alle getallen in staan.'

Opschepster, dacht Aine weer. Ze kon het niet uitstaan dat Dio bewonderend naar Vevina staarde.

Aine ging bij Julie staan. 'Kan jij dat ook, Julie?'

'Nee, ik ben nog niet zo goed.'

In hoog tempo volgde de braingames elkaar op. Het was niet te begrijpen hoe snel de beide teams de juiste cijfers op hun plaats kregen.

'Waarom doen jullie deze braingames?' vroeg Dio. Hij lachte even naar Vevina.

'Als oefening om ooit de kluis te kunnen openen, waar het PENTIUM zich bevindt. Hoe meer braingames we oefenen, hoe beter we in staat zullen zijn de code te kraken.'

Dio slikte en zei niets meer. Als de code zo moeilijk te kraken was, hoe moest hij dat zonder oefenen voor elkaar krijgen?

Die avond aten Dio, Julie, Vevina en Aine aan een lange tafel met de anderen patat met dikke klodders mayonaise, appelmoes en een kroket.

'Ik wil jullie nu de zevende wet van de wijsheid vertellen,' zei Vevina. 'Maar ik mag jullie hem niet zomaar geven. Als jullie hem zonder er iets voor te doen krijgen, werkt de wet niet en zijn jullie niet in staat het PENTIUM te bemachtigen.'

Ze keek op haar horloge. 'Jullie hebben nog exact vierentwintig uur om de toegangspoort naar het Rijk van de Levende Geesten te openen. Morgen om zeven over zeven zal Azazel zijn overwinning vieren.'

Dio schrok van de korte periode die ze nog hadden.

'Wat moeten we doen?' vroeg hij aan Vevina.

'Het wordt een bijzonder moment. We gaan jouw genialiteit toetsen, Dio. Alleen een genie heeft kans van slagen als hij de gouden kamer probeert te ontsluiten waar het PENTIUM verborgen ligt.'

Dio keek Vevina onzeker aan. Een genie, dacht hij. Dat ben ik vast niet. Het enige waar hij echt goed in was, was hoofdrekenen.

Vevina stond op. 'De kids van Genius Valley hebben de ridderzaal in gereedheid gebracht. Kom.'

Dio liep met Aine en Julie achter Vevina aan de wenteltrap op. De ridderzaal was met duizenden kaarsen verlicht. Op een podium in het midden van de zaal stond een tafel met tien schaakborden en twee stoelen. Daaromheen stonden aan vier kanten rijen met stoelen waar de toeschouwers op plaatsnamen.

'Wat is de bedoeling?' vroeg Aine.

'De zevende wet van de wijsheid is in onze handen,' antwoordde Vevina. 'Deze wet hebben jullie nodig om een poging te mogen doen de code van het PENTIUM te kraken. Maar jullie krijgen de zevende wet van de wijsheid pas als Dio mij met multischaak verslaat. Jullie hebben nog vierentwintig uur om Azazel te verslaan.'

'En als ons dat niet lukt?' vroeg Aine.

'Dan zitten jullie hier voorlopig vast en zullen jullie, net als iedereen hier tot in de eeuwigheid een willoze Spock zijn in Azazels leger.'

'Waarom geef je ons de zevende wet van de wijsheid niet gewoon?'

'We moeten de regels van het spel respecteren, Aine, anders zijn we hoe dan ook verloren. Dio zal zich moeten kwalificeren om het ultieme gevecht met Azazel aan te kunnen gaan.'

Dio zei niets. Hij had buikkrampen. Nu kwam het op hem aan. Hoe slim was hij eigenlijk? Thuis had hij jarenlang tegen de meest geavanceerde schaakcomputers gespeeld en altijd gewonnen, maar een potje multischaak tegen het meest hoogbegaafde meisje van Genius Valley? Daar was hij niet zo zeker van.

Klokslag acht uur klonk de gong. Nog drieëntwintig uur te gaan voordat het Rijk van Wijsheid definitief in Azazels handen zou vallen.

Dio en Vevina gingen tegenover elkaar aan de tafel zitten en Dio concentreerde zich zo sterk dat het leek dat hij in een trance terecht was gekomen.

'Best of three,' zei Vevina, terwijl ze Dio een hand gaf.

Een jongetje van een jaar of tien met rood peenhaar en pientere ogen was de scheidsrechter.

De honderden Genius Valley-kids in de zaal waren stil geworden en keken gespannen naar het podium. Ook voor hen hing er veel van deze wedstrijd af.

Vevina deed de eerste zet en Dio dacht net even te lang na. De toeter ging en Vevina pakte de koningin van Dio van het zevende schaakbord af. In een voor normale mensen onmogelijk hoog tempo werd de wedstrijd gespeeld. Dio speelde als in trance met de overgebleven negen schaakborden in zijn hoofd.

Verschillende malen ging de toeter en even zovele malen verspeelde Dio weer een schaakstuk.

Aine hield Julie's hand stevig vast. Ze maakte zich grote zorgen. Als Dio verloor, was alle moeite tot nu toe voor niets geweest. Haar hoofd bonkte van de spanning.

Na zeven minuten was het eerste spel beëindigd. Vevina had met 8-2 gewonnen.

'Vijf minuten pauze voordat de tweede wedstrijd begint,' kondigde de scheidsrechter aan. Dio rekte zich uit en slenterde naar Aine.

'Ze is echt goed,' zei hij mistroostig.

'Gebruik je denkkracht,' zei Aine streng.

'Ze is echt geniaal, hoor,' sputterde Dio tegen.

'Dio, wordt wakker. We hebben maar één kans om die zevende wet van de wijsheid te bemachtigen. Denk aan de wet van passie en verlangen,' sprak Aine op hem in. 'Denk aan hoe graag je terug wilt naar je vader en je moeder. Denk aan het lot van de wereld, dat in jouw handen ligt. We zijn ver gekomen, Dio. Maak het karwei af. Wij gaan Azazel niet dienen,' zei ze beslist. 'Gebruik je bijzondere gaven en gebruik ze goed.'

Dio keek haar verbluft aan. Zo had Aine nog nooit tegen hem gesproken. Hij wilde net iets zeggen, toen de gong weer klonk.

Hij stond op en liep naar het podium.

Ditmaal deed Dio de eerste zet. Hij zette een pion op schaakbord vier naar voren. Als in een trance schoten de schaakborden en opstellingen door zijn hoofd heen.

Hij steeg boven zichzelf uit en Vevina liet haar schouders hangen. Het werd een ongelooflijk spannende wedstrijd, waarbij de toeter geen enkele maal klonk. Na negen minuten en vijfendertig seconden waren de partijen gespeeld. Dit keer in het voordeel van Dio met een stand van 9-1.

'Vijf minuten pauze voor de laatste en alles beslissende wedstrijd,' riep de scheidsrechter. 'De stand is gelijk, het is 1-1.'

Dio liep weer naar Aine. Ze kneep bemoedigend in zijn hand.

'Nu doorzetten, Dio. Laat het goede overwinnen. Je wordt geholpen. Alles op alles voor de beslissende wedstrijd.'

Vijf minuten later klonk de gong. De spanning in de ridderzaal was te snijden. Er was nog nooit iemand geweest die Vevina met multischaak verslagen had. Maar er was ook nog nooit iemand geweest die de code van het PENTIUM gekraakt had. Zou dat dit genie wel gaan lukken?

Vevina was als eerst aan zet en ondanks het extreem hoge tempo was duidelijk dat de strijd gelijk op liep. Op de borden 1, 4, 6 en 9 stond Vevina op winst. Op de borden 2, 3, 8 en 10 kon Dio de winst niet meer ontgaan. Op bord 5 was een remise niet meer te voorkomen, zodat het echte gevecht zich concentreerde op schaakbord nummer 7. In hoog tempo deden de kemphanen hun zetten. Alle borden werden zoals verwacht of door Dio of door Vevina gewonnen en op bord 5 viel de remise. Bord 7 zou de beslissing brengen.

Plotseling herinnerde Dio zich de Tchechenko-shuffle. Het was de beroemdste zet uit de schaakgeschiedenis. Tchechenko was er in het Rijk van de Levende Geesten wereldkampioen mee geworden.

Dio had de Tchechenko-shuffle vaak op de computer geoefend. Hij zette met zijn loper de shuffle in. En inderdaad liep Vevina, ondanks haar genialiteit, in de val. Met zijn paard sloeg hij haar toren, zodat Dio haar ten slotte met zijn koningin schaak zette.

'Schaak.'

Vevina gooide haar koning op het schaakbord. Aine en Julie sprongen juichend op van hun stoel en een explosie van gejuich volgde door de ridderzaal. Huilend van spanning en blijdschap vielen de hartsvriendinnen Julie en Aine elkaar in de armen.

Voor het eerst was Vevina met multischaak verslagen en was er daadwerkelijk een kans dat de code van het PENTIUM gekraakt kon worden.

Dio gaf Vevina een hand.

'Gefeliciteerd! Voor het eerst heb ik het gevoel dat iemand in staat is na al die duizenden jaren de code van het PENTIUM te kraken. Hoe deed je dat nu precies op het laatste schaakbord?'

'Dat was de Tchechenko-shuffle,' vertelde Dio.

'De wat?'

'Och, iets uit de wereld van de levende geesten.'

Vevina ging met Julie, Aine en Dio mee naar beneden. Ze gingen samen aan tafel zitten. 'Zoals beloofd zal ik jullie nu de zevende wet van de wijsheid vertellen. Het is de wet van toeval en verbondenheid. Een bijzondere wet, mag ik wel zeggen en niet voor niets de zevende wet van de wijsheid.

De wet zegt dat iedere mens in het Rijk van de Levende Geesten het centrum van het universum is.'

'Maar er leven zes miljard mensen in onze wereld, die kunnen toch niet allemaal het middelpunt zijn,' wierp Aine tegen.

'Dat dachten wij eerst ook, maar in een speciaal denkteam met onze meest hoogbegaafden hebben wij daarover nagedacht,' antwoordde Vevina. 'Het denkteam kwam na een wekenlange sessie met de volgende uitspraak. Stel dat het universum oneindig groot is, dan zijn er ook oneindig veel middelpunten en is iedere mens en elk dier of ding het middelpunt van het universum.'

'Dat snap ik niet,' zei Aine.

'Is het universum oneindig groot?' vroeg Dio er direct overheen.

'In Genius Valley denken we van wel.Bij jullie is er in de geschiedenis toch ook nog geen wetenschapper geweest die heeft aangetoond dat het universum grenzen heeft.'

'Dat klopt,' zei Dio.

'Onze berekeningen tonen aan dat het universum oneindig groot is. Uit de wiskunde weten we dat iets wat oneindig groot is, ook oneindig veel middelpunten heeft. Iedereen is dus het middelpunt van het universum.'

Dio kon hier niets tegen inbrengen.

'Als jij het middelpunt van dit universum bent, draait alles om jou. Zie het als een orkaan. Buiten raast de storm met enorme snelheden, maar in het centrum van de orkaan is het altijd rustig. Daar is het helemaal stil en juist dit middelpunt houdt de wervelstorm bijeen.'

'Ik snap het nog steeds niet,' zei Aine.

'Wat ik wil zeggen is dat alles in dit heelal met elkaar verbonden is en dat jij daarvan het middelpunt bent. Eigenlijk bouw je je eigen wereld. De wereld draait om jou, Aine. Alle zes miljard mensen in het Rijk van de Levende Geesten bouwen hun eigen wereld.

Stel dat alles met elkaar verbonden is, dan bestaat toeval niet, want je zorgt zelf dat het jou overkomt. Alles wat er met je gebeurt in je leven heeft een betekenis. De dingen gebeuren niet zomaar.

Dat is wat wij in Genius Valley geloven. We spelen niet voor niets zo graag braingame. Daar is elk getal verbonden met alle andere getallen en de speler heeft elk getal nodig om tot de oplossing te komen.'

'Ik ben dus het middelpunt van het heelal?' zei Dio. Hij glimlachte bij het idee.

'Volgens de zevende wet van de wijsheid wel, ja, dus zorg maar dat je wat maakt van je leven.'

'Mijn moeder zegt altijd: "De wereld draait niet om jou, Aine."'

Vevina keek schuin omhoog en dacht na. 'Als jij je egoïstisch opstelt wanneer je het middelpunt bent, heeft ze gelijk. De wet van toeval en verbondenheid stelt juist dat iedere mens zich als middelpunt moet verbinden.

De mens moet toeval, gebeurtenissen en omstandigheden

gebruiken om een eenheid te vormen, oorlog uit te bannen en altijd goed te zijn voor elkaar.'

'Ik vind het moeilijk,' zei Aine.

'Dat kan ik me voorstellen. In het Rijk van de Levende Geesten hebben we altijd gedacht dat de wereld anders in elkaar zat.'

'Ja, we dachten dat er ergens een almachtig iemand was, die de hele wereld regelde. Het idee dat je zelf het middelpunt bent van alles wat er bestaat is nieuw.'

'Je kunt je eigen wereld bouwen, Aine. Iedere mens kan meebouwen aan een wereld zonder oorlog, misdaad, verdriet en ondragelijke pijn. Dat is bepaald door de wet van toeval en verbondenheid.'

Even was het stil. Toen nam Vevina weer het woord, maar nu was haar toon tegelijk ernstig en bezorgd.

'Dio, over precies tweeëntwintig uur zal je het gevecht met Azazel moeten aangaan om de toegangspoort naar het Rijk van de Levende Geesten te kunnen openen en de aarde te bevrijden van al het kwaad. De mensen in het Rijk van de Levende Geesten moeten de wetten van de wijsheid leren om een betere wereld voor de volgende generaties achter te laten. In dat rijk zijn de grenzen bereikt. Denk aan de milieuproblemen, de armoede en de overbevolking. Het rijk van Azazel stroomt in een steeds hoger tempo vol met misdadigers, moordenaars, hebzuchtigen en mensen die anderen moedwillig pijn hebben gedaan. Het kwaad van Azazel mag niet overwinnen. De huidige toestroom aan Spocks moet gestopt worden. Iedere mens is het middelpunt van het universum, daarom heeft iedere mens de keuze om een goede of slechte wereld te bouwen.'

Vevina bracht haar hoofd dichterbij Dio en Aine.

'Luister nu goed naar me, Dio. Je hebt de zevende wet van de wijsheid nodig om Azazel te verslaan. Je enige kans is om zelf de rust te zoeken in het middelpunt van de wervelstorm. Wacht daar je kans af. Die zal zich in het gevecht met Azazel zeker voordoen.'

Dio keek Vevina niet-begrijpend aan.

'Iedereen heeft een achilleshiel, ook Azazel. Blijf tijdens het gevecht rustig naar hem kijken en sla toe op het moment dat Azazel zijn zwakke plek laat zien.

Dat is de aanwijzing die ik je wilde meegeven. Nu je de zeven wetten van de wijsheid kent, kun je je missie niet meer uit handen geven. Je moet nu alleen nog de code van het PENTIUM kraken. De zeven wetten heb je in je bezit.'

Dio pakte zijn perkamentrol en schreef er de zevende wet van de wijsheid op. Nu moest hij op zoek naar de amulet die alle wijsheid met elkaar verbindt. Toen hij uitgeschreven was, stond Vevina op en wenkte ze Dio, Julie en Aine om mee te komen.

'Nu jullie alle wetten van de wijsheid kennen, mogen jullie de toegangsdeur van de gouden kamer proberen te openen, waar het PENTIUM van de wijsheid zich bevindt en het magische zwaard.'

'Het magische zwaard?' vroeg Dio verbaasd.

'Ja, dat wordt jouw wapen in het ultieme gevecht met Azazel.'

Ze liepen door het witte portaal achter Vevina aan naar de gouden deur. Op de deur zagen ze negentien witte, met elkaar verbonden vakjes, waar cijfers ingevoerd konden worden.

Dio en Aine keken naar de figuur op de deur.

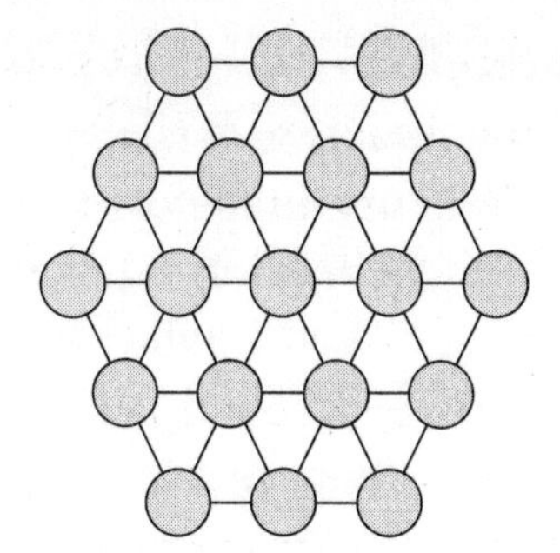

'In elk vakje moet een getal komen, maar de som van alle horizontale en diagonale lijnen moet altijd hetzelfde getal opleveren. Pas als dat klopt, zal deze deur opengaan.'

'Is er geen enkel getal bekend?' vroeg Dio bijna wanhopig.

'Nee, helaas niet. Volgens onze berekeningen zijn er precies 121.645.100.408.832.000, oftewel 12 biljard mogelijke combinaties. Dat is ook de reden dat het nog nooit iemand is gelukt de code te kraken.'

Dio schudde zijn moedeloos hoofd. Al het werk leek voor niets geweest. Nu hadden ze de zeven wetten van de wijsheid en leek alles alsnog verloren. Binnen tweeëntwintig uur moest de code gekraakt worden en moesten hij en Aine zich door al die Spocks heen melden bij de toegangspoort naar het Rijk van de Levende Geesten. Het leek zelfs voor de allergrootste optimist onbegonnen werk.

'Onze allerbeste braingamers hebben jarenlang gewerkt om de toegangscode van het PENTIUM te vinden, maar zijn daar tot nu toe niet in geslaagd.'

'Toch zullen jullie, om ooit weer terug te kunnen keren, naar het land van de levende geesten, deze code moeten kraken. Let wel, de horizontaal en diagonaal verbonden vakjes moeten allemaal hetzelfde getal opleveren en elk cijfer mag slechts één keer gebruikt worden. Dat zijn de regels van het spel. Julie, jij gaat met mij mee. We laten Dio en Aine nu alleen. Jullie hebben niet zoveel tijd om de code te kraken.

'Denk aan de zeven wetten van de wijsheid, die jullie geleerd hebben. Misschien dat die jullie verder kunnen helpen. Succes!'

'Twaalf biljard mogelijke oplossingen! Die code vinden we nooit,' verzuchtte Aine toen Vevina en Julie waren verdwenen.

'We hebben net geleerd dat wij het centrum zijn, Aine, en dat toeval niet bestaat. Door goed na te denken en de wetten van de wijsheid te gebruiken, zullen we de oplossing vinden. De kennis van deze zeven wetten is wat wij voor hebben op al die anderen die de code voor ons hebben proberen te kraken.'

'Welke wetten kunnen we dan gebruiken?' vroeg Aine.

'De wet van de minste weerstand leert ons dat de oplossing zo simpel en eenvoudig mogelijk moet zijn. Dat betekent dat we in dit geval alleen maar gaan werken met getallen van 1 tot en met 19. Dat zijn de gemakkelijkste getallen en reduceert het aantal mogelijke combinaties aanzienlijk.

De getallen waarmee we gaan werken, zijn daarmee bepaald. Als tweede stap moeten we uitvinden op welke plaats deze getallen moeten staan, zodat de som altijd hetzelfde getal is.'

Dio en Aine pakten ieder een groot schrijfblok. Ze zaten urenlang cijferreeksen in te vullen, echter zonder veel resultaat. Telkens klopte er weer een rij of een diagonaal niet en kwamen ze niet uit met de cijfers.

De tijd kroop verder. Straks zou Azazel het alsnog winnen. In dit korte tijdsbestek was het eigenlijk ondoenlijk om de code te vinden.

Het was al halfeen 's nachts toen Aine omviel van de slaap. De afgelopen dagen waren zwaar en vol spanning geweest.

'Ga jij maar slapen, Aine, ik werk door,' zei Dio.

Ondanks haar wil om door te gaan, was haar vermoeidheid te groot. Aine's ogen waren nu zo zwaar dat ze ze niet meer open kon houden. Ze ging op een bankje liggen en Dio dekte haar toe met zijn jack.

Het was donker en doodstil in het portaal. In het schemerlicht van twee stolpkaarsen werkte Dio gedreven aan de code.

Elke mislukte poging gaf hem weer nieuwe energie. Eén uur werd twee uur en daarna sloeg de klok drie uur.

Dio bleef ondanks alles rustig. Hij stelde zichzelf voor als het middelpunt van een wervelstorm. Er was nog maar zestien uur te gaan voordat Azazel met zijn miljoenen Spocks het Rijk van Wijsheid zou veroveren. Dio verlangde naar huis. Dat intense verlangen gaf hem de rust en energie om ondanks zijn vermoeidheid door te zetten en poging na poging te ondernemen.

In deze helderheid staarde hij met zijn handen achter zijn hoofd peinzend voor zich uit. Het was ondertussen zeven uur 's ochtends geworden. Ze hadden nog maar twaalf uur en zeven minuten voordat Azazel definitief zijn overwinning zou opeisen.

Zaterdag

De vroege ochtendzon viel door de smalle ramen en weerkaatste heel mooi in de ruimte. Dio keek naar het plafond en dacht diep na. Verbeeldde hij het zich nu of zag hij daar een beschermengel zweven, die in een weids gebaar naar het rijk versierde plafond wees?

Dio sperde zijn vermoeide ogen wijd open. Zijn hart ging sneller slaan. Dit kon niet waar zijn. Wat probeerde die engel hem te vertellen? Ineens verdween alle vermoeidheid uit zijn lichaam. Zijn ogen schoten van links naar rechts over het plafond.

Het plafond van het gotische voorportaal had, als je er bij de juiste zoninval naar keek, precies dezelfde vorm als de vakjes op de deur waar de toegangscode moet worden ingegeven. Dat kon geen toeval zijn, realiseerde Dio zich. Was de zevende wet van de wijsheid niet de wet van toeval en verbondenheid geweest?

Dit was de kans waarop hij gewacht had.

Op elk van de negentien verbindingsvakjes op het plafond was een familiewapen geschilderd. Hij zag eeuwenoude, kleine schilderingen die allemaal een ander wapen afbeeldden. Waarschijnlijk waren het de familiewapens van oude kasteelheren, die hier in vroegere tijden geleefd hadden.

Negentien verschillende familiewapens, schoot het door zijn hoofd. Toen hij nog eens goed naar de wapenschilden keek, zag hij dat er op elk schild een aantal sterren was geschilderd. Door de bijzondere lichtinval waren ze alleen bij zonsopgang goed te zien.

Vlug scheurde Dio een nieuw vel papier uit zijn blok en tekende daar de negentien vakjes op. Toen telde hij per schild het aantal sterren en zette in elk vakje een getal. Zo werkte hij het hele plafond af, zodat er een paar minuten later het volgende getallenpatroon op zijn vel papier stond.

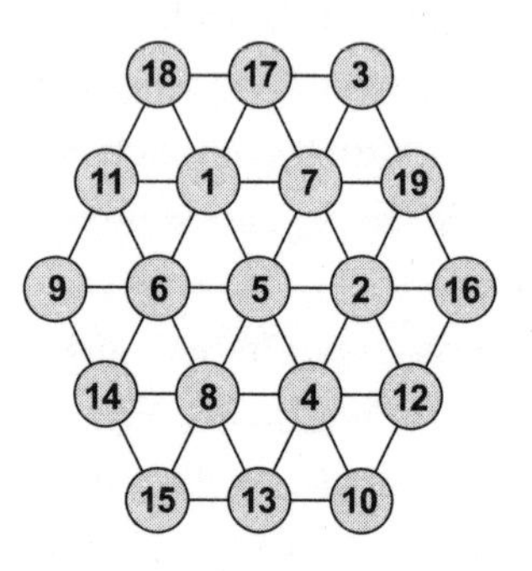

Gespannen begon Dio te rekenen. 18 + 17 + 3 = 38. Dat zou het getal moeten zijn. 11 + 1 + 7 + 19 = 38. Hetzelfde getal. Nu een diagonale rij. 18 + 1 + 5 + 4 + 10 = 38. Yes, de kansen stegen. In een hoog tempo werkte Dio alle horizontalen en diagonalen af. De uitkomst was telkens 38.

'Yéééés,' riep Dio. 'Aine, Aine, wakker worden.'

Aine was bij de eerste schreeuw al klaarwakker en zat Dio met grote ogen aan te kijken.

'Ik heb de oplossing gevonden,' riep Dio in extase.

Aine sprong van het bankje en pakte het papier met de getallen van de tafel.

'We kunnen naar huis,' riep ze enthousiast.

Voor het eerst in duizenden jaren was de code gekraakt. Dio en Aine renden de zaal uit. Er was geen tijd te verliezen. Nu hadden ze een kans om Azazel te verslaan.

Dat de oplossing voor de toegangscode was gevonden ging als een lopend vuurtje door de burcht heen. Van alle kanten kwamen de hoogbegaafde kids naar het witte portaal toegestroomd om het grote moment mee te maken dat de juiste code op de deur zou worden ingetoetst.

Het portaal stond helemaal vol met nieuwsgierigen toen Dio, Aine, Julie en Vevina naar de gouden deur liepen. Dio had het papier met de waarschijnlijke oplossing in zijn handen.

Vevina toetste de cijfers een voor een in op de deur. Het laatste cijfer was de 10. De spanning in de zaal was om te snijden. Dio en Aine keken elkaar een seconde aan. Zou het lukken?

'Klik.'

Na vele eeuwen zwaaide de deur onder luid gejuich van honderden Genius Valley-kids open. Het goud schitterde Dio, Aine en Vevina tegemoet toen ze naar voren stapten om de gouden zaal te betreden. Midden in de gouden ruimte stond op een altaar een ebbenhouten kistje.

Achter in het vertrek hing een groot, met goud beslagen zwaard tegen de muur. Voorzichtig liepen ze naar het altaar waar het ebbenhouten kistje op stond.

Voor het altaar stond een bordje met in gouden sierletters de tekst

De mens die het PENTIUM draagt
Kent de zeven wetten van de wijsheid als daarom wordt gevraagd.
Het dragen van het PENTIUM zonder het kennen van de wetten
Zal voor deze mens het ongeluk in gang zetten.

‘Kennen jullie de zeven wetten?’ vroeg Vevina.

Een voor een somde Dio de wetten op voordat hij het ebbenhouten kistje opende. Er lag een oude perkamentrol in.

‘Dio, lees voor. We hebben weinig tijd,’ zei Vevina.

Dio pakte de perkamentrol en begon te lezen. ‘Het PENTIUM van de wijsheid is de verbinding van het Keltische “Purna”, dat “binden” betekent, en het boeddhistische “asha”, dat de betekenis van liefde heeft. De verbinding van de liefde met alle culturen en godsdiensten is nodig om het kwaad te verslaan.

Het PENTIUM ontstaat als de Bhutaanse beschermamulet samensmelt met de magische Keltische ring. De dragers van de Bhutaanse Beschermketting en de magische Keltische ring moeten daartoe tegelijk de magische spreuk “Asha Purna” uitspreken.’

Dio keek Aine met een verbaasde blik aan. Zonder het te beseffen hadden ze deze hele reis het PENTIUM bij zich gedragen. Het was bijna komisch om daar nu, na zoveel dagen en zware beproevingen, achter te komen. Maar ze hadden geen tijd om er lang bij stil te staan.

Aine kwam naar voren. Dio deed zijn Bhutaanse beschermketting af en legde de vijfhoekige amulet op de bodem van het ebbenhouten kistje. Ook Aine deed haar ketting met de magische Keltische ring af. Ze legde de ring precies in de binnencirkel van de amulet.

De ring paste in de amulet alsof ze ooit al uit een stuk waren gegoten.

Toen pakte Dio Aine’s hand en samen spraken ze krachtig het “Asha Purna” uit. Op dat moment viel het gouden zwaard van de muur en gloeiden de amulet en de ring op. Ze werden vuurrood van de hitte die ze deed samensmelten. De liefde had alle culturen en godsdiensten verbonden; het PENTIUM van de liefde was gevormd.

Vevina pakte het PENTIUM en reeg het aan een leren koordje. Daarna knoopte ze het voorzichtig om Dio's nek.

'Pas op, Dio. Het PENTIUM verbindt de liefde en de wetten van de wijsheid. Bij verkeerd gebruik is het PENTIUM erg gevaarlijk. Alleen de mensen die de zeven wetten van de wijsheid kennen, mogen het PENTIUM dragen. Mensen die het dragen zonder dat ze de wetten van de wijsheid kennen, wordt de spiraal van ongeluk in werking gezet.'

Ze was nog niet uitgesproken of er verscheen een blauwwitte gedaante in de gouden kamer.

'Goh, zie ik na honderden jaren ook eens hoe de gouden tempel er vanbinnen uitziet,' zei kardinaal Gregorius.

Julie begon te gillen. 'Een geest, ik zie een geest.'

'Ach, het is kardinaal Gregorius maar,' zei Aine tegen haar vriendin.

'Ken jij hem?'

'Natuurlijk, hij helpt ons.'

'Gefeliciteerd! De geboorte van Xena is nu een feit,' zei kardinaal Gregorius.

'Xena?' vroeg Dio.

'Xena is de planeet van de wijsheid en bevindt zich op 25.000 lichtjaren afstand van de aarde in het universum. Azazel zal weten dat de planeet van de liefde en wijsheid geboren is. Het zal zijn kwade plannen doorkruisen.

De nieuwe planeet heeft een belangrijke taak te vervullen. Als het jullie lukt Azazel te verslaan en de toegangspoort te openen, zullen de zeven werelden die jullie hier in het Rijk van Wijsheid hebben leren kennen, de zeven manen rondom de planeet Xena worden. Xena zal de zeven wetten van de wijsheid met energie gaan voeden, zodat ze overal in het Rijk van de Levende Geesten verspreid kunnen worden.

De planeet Xena zal alle kinderen op aarde die een PENTIUM-amulet dragen voeden met energie en wijsheid.'

Kardinaal Gregorius keerde zich naar Dio. 'Maar jij bent nog niet klaar, jongeman. Jou wacht nu de uitdaging om binnen elf uur af te rekenen met het machtscentrum van het kwaad. Met Azazel.'

Dio pakte het zwaard en trok het uit de schede. Met twee handen hield hij het zwaard voor zijn borst en hoofd. Het scherp geslepen zwaard blonk in het binnenvallende licht. Dio straalde kracht uit, alsof hij wijzer en rustiger geworden was, maar ook sterker en krachtiger. In niets leek hij meer de jongen van voor zijn reis.

Hij stak het zwaard terug en schoof de draagriem over zijn schouder. Hij was klaar voor de laatste etappe: het beslissende duel met Azazel, heerser van het Rijk van de Dolende Geesten. Toch aarzelde hij

'We hebben een probleempje. Er staan honderdduizenden Spocks voor de poort ons op te wachten om ons te vernietigen. Hoe komen we daar doorheen?'

Vevina lachte even. 'Kom maar met mij mee,' zei ze geheimzinnig, terwijl ze de gouden kamer uit liep en deze afsloot.

Dio, Aine en Julie volgden haar naar de andere kant van de burcht. Ze kwamen langs de balustrade en zagen de honderdduizenden Spocks staan, die de burcht omsingeld hadden. Er hing een ondraaglijke stank. Een gerochel ging door de massa toen ze langs de balustrade liepen.

'Ik breng jullie naar een geheime, ondergrondse gang die jullie naar de andere kant van de heuvel zal brengen. Die stinkerds hier zullen bij het kasteel vergeefs op jullie staan wachten. En ze zijn dom dus ze hebben geen verkenners uitgezet. Aan de andere kant van de heuvel kunnen ze jullie niet meer zien.

Hier hebben jullie een kompas. Zodra je de tunnel uit komt loop je in zuidoostelijke richting tot je de woestijn bereikt. Richt je dan op de Zonnetempel. Als jullie de Zonnetempel gepasseerd zijn, kennen jullie zelf de weg naar het Rijk van de Levende Geesten. Neem de meest rechtse ingang van de grot. Maak geen vergissing. Elf uur is net genoeg om de grot vanaf hier te bereiken.

Pas onderweg op voor verdwaalde Spocks. Als ze jullie op het spoor komen, zijn jullie verloren. Ze zullen jullie net zo lang bezighouden tot de tijd verstreken is en Azazel zijn victorie kan uitroepen.'

Aine en Dio omhelsden Vevina en Dio bloosde even toen Vevina hem een zoen gaf.

'Vergeet nooit de wet van toeval en verbondenheid. Wat de mensen ook beweren, toeval bestaat echt niet. Alles wat je in dit leven overkomt, heeft een betekenis, ook al begrijp je die vaak op dat moment nog niet.'

Daarna nam Julie afscheid. Eerst omhelsde ze Dio. 'Sterkte, moedige man,' was het enige wat ze zei.

'Bijzonder je ontmoet te hebben, Julie. Ik zal je nooit vergeten,' antwoordde Dio.

Daarna omhelsde ze Aine. De tranen stoomden over haar wangen. 'Dag lieve Aine, het ga je goed in je leven. Vergeet niet dat je me beloofd hebt tegen mijn vader en moeder te zeggen dat het goed met me gaat.'

Dio en Aine waren klaar voor de laatste etappe van de reis. Dio had het met goud beslagen zwaard op zijn rug, het PENTIUM om zijn nek, het kompas in zijn hand.Hij zag er vastberaden uit.

Met een betraand gezicht keek Aine nog een keer om naar Julie.

'Hier de trap af, dan komen jullie vanzelf in de onderaardse gang,' waren Vevina's laatste woorden.

De onderaardse gang was aardedonker en stil. Soms werd de stilte onderbroken door water dat langs de wanden sijpelde. Met hun handen langs de muur schuifelden Dio en Aine meter voor meter voorwaarts. Hier en daar hoorden ze een beest wegvluchten. Vast ratten, dacht Dio. Hij hield wijselijk zijn mond.

Ze liepen een uur door de donkere gang toen ze heel in de verte een lichtpuntje zagen dat met elke stap groter werd. Het einde van de tunnel was in zicht.

Dio pakte zijn zwaard en ze legden de laatste meters voorzichtig af. Er was nog altijd de kans dat ze midden tussen een groep Spocks zouden uitkomen.

Toen ze hun hoofd naar buiten staken, was het helemaal stil. Alleen het ruisen van de wind zorgde voor enig geluid.

In de wijde omtrek was nergens een Spock te zien en zo te ruiken waren ze ver weg.

Dio borg zijn zwaard weg en stelde zijn kompas in. Ze liepen uren in zuidoostelijke richting. Het werd steeds warmer. Langzaam maar zeker naderden ze de woestijn. Bij een bron rustten ze even uit en dronken ze water.

Het bos ging over in langgerekte steppe met hier en daar een boom. Dio trok zijn jack uit door de warmte. Het gras werd steeds lager en geler tot het helemaal verdord was en er alleen nog woestijn overbleef.

In de verte zagen ze de piramiden van de Zonnetempel liggen. Het einde van hun avontuur kwam in zicht. De hele terugreis hadden ze geen Spock gezien. Blijkbaar waren die massaal naar de witte burcht getrokken op zoek naar Dio en Aine.

'Ik ben moe,' klaagde Aine. 'En ik heb dorst.'

'Ik ook,' zei Dio. 'Mijn tong voelt als een zeemleren lap. Ze liepen gewoon door. Het vooruitzicht dat ze met behulp van het PENTIUM weer naar huis terug konden keren gaf hen de kracht om verder te lopen. Er was ook geen tijd meer om te stoppen. Dio zag op zijn horloge dat ze nog precies vierenhalf uur hadden om uit het Rijk van Wijsheid te ontsnappen.

Ondanks de ondragelijke hitte en de vermoeidheid ging het tempo omhoog. In de schaduw van de piramide rustten ze even uit.

Heel ver weg hoorden ze de sfinx janken van de honger. In de oase vlak bij de Zonnetempel dronken ze voor de laatste maal en daarna vertrokken ze naar de rotsen. Daar was de ingang van de grot die hen uiteindelijk weer in het Rijk van de Levende Zielen zou brengen.

De zon stond al iets lager aan de hemel toen ze bij de rechter grotingang aankwamen. Nog één uur en zeven minuten te gaan.

Het was dreigend stil, nergens een Spock te zien, maar ook Azazel had zich nog niet vertoond. Even dacht Dio dat hij zonder enig gevecht zo naar het Rijk van de Levende Geesten zou kunnen doorlopen. Ze waren al een eind de grot ingelopen. Zou Azazel zich zo gemakkelijk gewonnen geven?

In de vroege avond daalde de temperatuur. Dio en Aine waren in een nauwe ruimte, midden in de grot, slechts een kilometer verwijderd van de toegangspoort. Hier en daar werd de grot spaarzaam verlicht door olielampjes.

In het schemerige licht kwamen drie kromgebogen, rochelende Spocks hen over het smalle pad tegemoet. Het angstzweet stond Dio in zijn handen. Hij deed een schietgebedje. Dio en Aine doken achter een paar keien weg. Dio trok zijn zwaard, klaar om direct aan te vallen. Veel mogelijkheden waren hier niet om zich goed te kunnen verstoppen.

De Spocks liepen gorgelend langs. Ze hadden niet in de gaten dat hun prooi zo dichtbij was. Aine kneep stilletjes haar neus dicht. Ze kon haar braakneigingen maar net inhouden.

Toen de Spocks uit het zicht waren, kwamen Dio en Aine vlug achter de stenen vandaan.

Van Azazel nog geen teken van leven. Plotseling verscheen kardinaal Gregorius in een witblauwe lichtflits.

'Verdwijn, kardinaal,' siste Dio. 'Straks heeft Azazel ons in de gaten.'

'Nou nou, een beetje vriendelijker mag wel hoor, Dio. Ik kom jullie waarschuwen,' antwoordde kardinaal Gregorius. 'Azazel is witheet van woede en laat jullie nu niet meer gaan. Hij beraamt een hels plan. Laat je niet meeslepen in zijn woede en haat. Als hem dat lukt, zijn jullie verloren. Hij bezit de macht over het kwaad en is vele malen sterker dan jullie. Als je kwaad wordt, neemt hij bezit van je. Dan ben je een gemakkelijke prooi.

Dit wil ik jullie meegeven: wie de ander overwint is sterk, wie zichzelf overwint is machtig. Blijf in je eigen centrum en laat je niet door zijn kwade geest meevoeren. Het lot van dit rijk en het Rijk van de Levende Geesten ligt in jullie handen. Laat het goede overwinnen.'

Kardinaal Gregorius verdween weer. Dio voelde het zwaard in zijn hand trillen. Aine legde haar handen om Dio's trillende hand.

'Je kunt het, Dio. Azazel is trouwens nergens te bekennen.'

De spanning was op de gezichten van Dio en Aine af te lezen. Behoedzaam liepen ze verder. Nog achthonderd meter naar de toegangspoort van de ijskelder.

In de verte zagen ze bij de poort een soort dichte mist op komen zetten. Een vreemde zwavellucht prikkelde hun neus. Azazel was hen niet vergeten. Dio slikte.

'Laat niet alles voor niets zijn geweest, asjeblieft.'

Met getrokken zwaard liep Dio voorop, op de voet gevolgd door Aine. Zo schuifelden ze voort, meter voor meter, de vrijheid tegemoet. De spanning was van hun gezicht af te lezen.

De mist werd dikker en ze hoorden het onheilspellende brullen van wilde beesten. De toegangspoort naar de ijskelder was nog enkele honderden meters van hen vandaan. Nog steeds gebeurde er niets.

Onverwachts trokken de mistflarden even weg. Dio's adem stokte. Voor een brandend zwavelvuur bij de toegangspoort stond de machtige Azazel. Hij had een moordende blik in zijn ogen. Twee levensgrote zwarte panters met fonkelende, groene ogen onderstreepten Azazels macht.

Azazel stond rechtop met een zwarte cape om, die zijn gezicht helemaal bedekte. Met zijn armen dreigend voor zich uitgestrekt hield Azazel het grote zwarte stalen zwaard met beide handen vast.

Dio was het liefst direct weggerend. Hij wilde zich net omdraaien toen Gregorius' laatste woorden weer in zijn oren klonken. 'Wie de ander overwint is sterk, wie zichzelf overwint is machtig.' Hij moest niet weglopen. Nee, hij moest de strijd met het kwaad aangaan.

'Azazel, ik ken de zeven wetten van de wijsheid,' schreeuwde Dio. 'Het kwaad heeft nog nooit in de geschiedenis gezegevierd. Laat me erdoor om mijn plicht te doen en het Rijk van de Levende Geesten te bevrijden van het kwaad.'

Een schelle, valse lach was Azazels antwoord.

'Nooit.'

'Azazel, maak de weg vrij,' schreeuwde Dio.

Een schelle lach die langzaam overging in hels gekrijs was het antwoord. 'Nooit, zei ik. Ik sta op het punt om te overwinnen en het Rijk van de Levende Geesten te beheersen.

Er zijn in de wereld altijd oorlogen geweest, de mensen hebben elkaar vanaf het ontstaan van de aarde bestolen, gemarteld, pijn gedaan en vermoord. Kinderen zijn misbruikt om te vechten en om onmenselijk werk te verrichten. Het kwaad is overal aanwezig, al is het voor velen vaak onzichtbaar.

Ik heb de hebzucht en de machtswellust bij de mensen aangewakkerd en de jacht op het grote geld gemaakt tot een van de belangrijkste bezigheden van de moderne mens.

In het Rijk van de Levende Geesten win ik nog ieder jaar aan gezag en macht en daar ben ik trots op. Mijn definitieve overwinning op het goede is aanstaande en het zal niet lang duren of ik ben alleenheerser in het universum. De volgende generatie zal niet eens meer weten wat "het goede" betekent.

Hebben jullie enig idee waarom ik zoveel succes heb gehad de afgelopen eeuwen? Kennen jullie mijn geheim?'

Dio en Aine keken elkaar vragend aan. Ze hadden gerekend op een bloedig gevecht, niet op een discussie over goed en kwaad met Azazel.

'Hoe bedoel je?' schreeuwde Dio.

'Door de hebzucht naar geld en spullen gaan steeds meer mensen over de grens. Ze misbruiken andere mensen voor hun eigen gewin. Als deze mensen sterven in het Rijk van de

Levende Geesten, worden ze Spocks in mijn helse rijk. Zo groeit mijn leger aan Spocks snel.

Als mijn leger groot genoeg is, kom ik uit de spelonken van het kwaad tevoorschijn om de aarde definitief te bezetten. Ieder kind, iedere mens, iedereen waarvan door een Spock de pink wordt gebroken komt in mijn macht terecht.

Een kolossaal Spockleger geeft mij straks de macht in het universum. Over precies zeven minuten en het Rijk van Wijsheid is mijn eerste prooi. Jullie einde is genaderd als het einde van een rat die onwetend en hebberig van het rattengif peuzelt. Ha ha ha...' klonk het gemeen door de grot.

De twee panters naast Azazel stonden op en lieten grommend hun grote tanden zien. Scherpe, witte tanden, die bedoeld waren om mensen en dieren mee aan stukken te scheuren.

Ik geloof in mijn eigen kracht, dreunde het in Dio's hoofd. Het lot van het universum ligt in mijn handen. Die griezel moet gestopt worden.

De panters maakten zich gereed voor een gezamenlijke aanval. Ze stonden met van spanning trillende achterpoten naar Dio en Aine te kijken.

Een hele minuut staarden ze hun prooi aan voordat ze hun prooi behoedzaam, naderden. Er glom angst in de ogen van Dio en Aine. Nog maar drie minuten te gaan. Zou Azazel alsnog winnen?.

Azazel hief armen en hoofd naar de hemel en begon te krijsen. De wraak was gekomen. Het kwaad had gezegevierd.

De panters stonden op nog geen vier meter afstand meer. Dio en Aine konden ze horen ademen. Toen sprong de linker panter op hen af.

Haast automatisch vloog Dio's zwaard met hoge snelheid door de lucht om met een klap het beest het leven te ontnemen.

Een doodsschreeuw, gevolgd door een harde klap op de grond overstemde Azazels aanhoudende valse gekrijs. Het magische zwaard had zijn werk gedaan.

De andere panter, die klaarstond om als tweede aan te vallen, onderkende het gevaar van het gouden zwaard en vluchtte met grote snelheid de grot in.

Het gekrijs van Azazel verstomde plotseling. Hij was woedend.

'Dio, schiet op. We hebben nog maar twee minuten,' gilde Aine.

Dio stapte over de bloedende dode panter heen.

Azazel stond voor het brandende vuur en stak zijn zwaard dreigend naar voren. Aine huiverde. Koude rillingen liepen over haar rug.

Alle kwaadheid en negatieve energie die Azazel in zich herbergde, had hij verzameld voor dit gevecht. Zijn donkere geweten en kracht vloeiden in zijn zwarte stalen zwaard. Net toen Dio de laatste stap wilde zetten om het gevecht in te gaan, verscheen doodleuk kardinaal Gregorius. Azazel keek hem razend van woede aan.

'Wat doe jij hier? Jij behoort mij toe! Verdwijn!'

Kardinaal Gregorius bleef staan en keek Azazel minachtend aan. Toen sprak hij de volgende historische woorden. 'Het kwaad zegeviert vaak, maar het zal <u>nooit</u> overwinnen.'

Toen zweefde hij naar Dio.

'Je hebt nog precies één minuut. Pak het PENTIUM in je linkerhand en hou het zwaard in je rechterhand vast. Zeg drie maal luid en duidelijk de volgende bezwering:

Dit zwaard zal het heilige vuur ontsteken.
En de macht van het kwaad voor de eeuwigheid verbreken.

Werp daarna je zwaard in het vuur. Nu! Je hebt geen tijd te verliezen.'

Met een ruk trok Dio de ketting met het PENTIUM van zijn nek en hield zwaard en PENTIUM op Azazel gericht. Toen hij de eerste keer de spreuk uitsprak, zag hij Azazel in elkaar krimpen alsof een scherp wapen doel trof.

'Nooit!' schreeuwde Azazel waanzinnig van woede. 'De macht van het kwade zal overwinnen.'

Voor de tweede keer sprak Dio de spreuk duidelijk hoorbaar uit. Hij voelde dat hij aan de winnende hand was. Azazel had heftige braakneigingen. Nog vijftien seconden tot de klok 7:07 uur zou aangeven.

'Dit zwaard zal het heilige vuur ontsteken. En de macht van het kwaad voor de eeuwigheid verbreken,' klonk het voor de derde maal krachtig door de grot. Met een machtige zwaai wierp Dio het zwaard door de lucht. Het cirkelde vier maal en kwam precies achter Azazel in het vuur terecht.

Een ijselijke gil galmde door de grot.

Om 7 minuten over 7 op 7 juli 2007 viel Azazel met een schreeuw van pijn achterover in het vuur. De zwarte cape vatte direct vlam.

Het vuur laaide hoog op. Dio en Aine moesten hun handen voor hun gezicht slaan om zich te beschermen.

Even snel als de vlammen waren opgelaaid, waren ze ook weer verdwenen. Er was niets meer te zien dat aan Azazel herinnerde, zelfs geen schroeiplek op rotsbodem. Azazel was opgelost in het niets, het kwaad was verzwolgen door het vuur en leek voor altijd bezworen.

'Zo, lekker vuurtje zeg,' zei de kardinaal. 'Ik wist niet dat kwaad zo heerlijk kon branden.'

Dio en Aine lachten.

'Hoe kwam u aan die bezweringsformule?' vroeg Dio, nu weer serieus.

Kardinaal Gregorius gaf hem een knipoog. 'Ooit vond een priester in een oude kerk in Baltimore in een geheime nis een document waar deze bezweringsformule op stond. Ik heb deze geheime tekst al die eeuwen voor mezelf gehouden. Ik heb nooit de moed en de kracht gehad om zelf de bezwering tegen Azazel te gebruiken. Toen ik jouw moed zag en de bereidheid om je leven te geven, besloot ik je te helpen. Het was mijn enige kans om dit rijk te kunnen ontvluchten. Na ruim zes eeuwen ben ik het ook wel zat hier.

Zonder de bezweringsformule was Azazel onverslaanbaar en had je het met de dood moeten bekopen, Dio. Je was net op tijd. Eén minuut later had het hier al zwart gezien van de Spocks. De weg is nu vrij om de toegangspoort naar de aarde te openen.

Hoor ik trouwens nog wat?'

Kardinaal Gregorius ging glimlachend met zijn hand achter zijn oren staan te wachten.

'Dank u wel, Gregorius,' mompelden Dio en Aine binnensmonds.

'Ik dacht dat ik wat hoorde?' zei de kardinaal plagerig.

'Vriendelijk bedankt, kardinaal Gregorius,' klonk het nu wat harder.

'Zodra de poort geopend is, kan ik eindelijk uit het Rijk van Wijsheid ontsnappen.'

Nadat kardinaal Gregorius verdwenen was, ging Dio met zijn handen voor zijn gezicht op een steen zitten. Het werd hem even te veel.

Aine sloeg haar armen om hem heen. 'Het is gelukkig voorbij,' fluisterde ze. 'We zijn bijna thuis. Wat zullen ze daar ongerust zijn.'

Dio stond op. Hij had alleen nog maar oog voor de ingang van de grot, die toegang bood naar het Rijk van de Levende Geesten.

Enkel een dikke, stalen deur scheidde hen nog af van huis.

Met het PENTIUM in zijn handen liep Dio naar de deur.

Het slot had de vorm van de amulet. Aine ging naast de deur staan. Dio drukte voorzichtig het PENTIUM in het slot, dat met een korte klik opensprong.

'Yes,' riep hij uit. 'Aine, we hebben het overleefd. We zijn vrij.'

Dio greep de deur en trok hem helemaal open.

'Wegwezen daar,' gilde opeens kardinaal Gregorius.

Dio en Aine doken weg achter een grote kei. Door de geopende deur waaide een stevige wind, die snel in kracht toenam. Alles in de grot bewoog en Dio en Aine moesten zich aan de wand vastklampen. De wind zwol aan tot orkaankracht. Angstig keken Dio en Aine elkaar aan. Wat zou er gebeuren? Was hun avontuur nu nog niet voorbij?

De orkaan bulderde langs de wanden. De grot schudde en hier en daar vielen grote brokken steen op de grond. Door de toegangspoort stroomden als een soort vloeibare massa alle landen van het Rijk van Wijsheid naar buiten. Vrektown, de Zonnetempel, Applesoft... op hoge snelheid kwamen ze allemaal in vloeibare vorm voorbij razen. Ze stroomden door de toegangspoort naar het Rijk van de Levende Geesten. Even snel als de orkaan opgekomen was, ging deze ook weer liggen.

Nu was het onderaardse Rijk van Wijsheid leeg. De wetten hadden een nieuwe plaats in het universum gekregen. Azazel was definitief verslagen.

Dio en Aine kwamen achter de rots vandaan. Ze stapten door de toegangspoort en zagen de trap die naar de ijskelder leidde. Toen ze aanstalten maakten om de trap te beklimmen, verscheen kardinaal Gregorius voor de laatste maal.

'Die waarschuwing was net op tijd hé,' zei de kardinaal tevreden.

'Waar zijn die werelden met de wetten van de wijsheid heen?' vroeg Dio.

'Dat zul je nog wel ontdekken. Ah, eindelijk kan ik dit rijk verlaten. Hier heb ik 732 jaar op gewacht. Ik ga de rest van mijn leven goede werken verrichten in het Rijk van de Levende Geesten.'

'Hoe gaat u dat doen, kardinaal?' vroeg Aine.

'Kinderen zien mij 's nachts in hun dromen en ik geef ze boodschappen en opdrachten om hen weer op weg te helpen met hun leven.

Mocht je ooit problemen hebben, vraag dan voor het slapengaan of kardinaal Gregorius in je dromen wil verschijnen met de antwoorden op al je vragen. Ik zal je altijd helpen. Maar nu ga ik er vandoor. Er wacht een hoop werk op me.'

Aine liep naar de kardinaal toe en gaf hem een kus. Ze giechelde. Het was een rare kus. Ze had het gevoel dat ze het luchtledige kuste en tegelijkertijd iets geraakt te hebben. Als je goed keek, kon je de kardinaal in het blauwwitte licht een beetje zien blozen.

'Bedankt voor alles, kardinaal,' zei Dio.

Kardinaal Gregorius nam opnieuw afscheid. 'Knap en moedig gedaan, Dio en Aine. Jullie ouders zullen trots op jullie zijn. Voor ik het vergeet, ik krijg nog wat van jou, Dio.'

Met lichte tegenzin haalde Dio het kristallen kruis tevoorschijn en overhandigde het aan de kardinaal.

'Bedankt voor alles wat u voor ons hebt gedaan. Zonder uw hulp hadden we het niet gered.'

Kardinaal Gregorius zweefde door de toegangspoort naar buiten en verdween.

Dio en Aine liepen naar de wandtrap en deden de zware toegangsdeur achter zich dicht. Met een klik viel de deur in het slot. Hij zou nooit meer geopend worden.

De Spocks zaten nu voor altijd zonder leider onder de grond opgesloten. Dolend en zoekend naar de uitgang, die ze nooit zouden vinden.

Niemand zou ooit nog het Rijk betreden. Dat was voor de eeuwigheid afgesloten, nu de wijsheid verdwenen was.

'En nu zo snel mogelijk naar huis,' zei Aine. 'Ze zullen na al die dagen dat we weg zijn geweest wel dodelijk ongerust zijn.'

Op de tast klauterden ze tegen de wandtrap omhoog, Dio voorop met Aine op zijn hielen. Boven aan de trap stuitten ze op het zware luik dat het gat in de ijskelder afsloot.

Dio zette zijn schouders eronder en probeerde uit alle macht het deksel omhoog te duwen. Er was geen beweging in te krijgen.

'Aine, help eens, ik krijg dat luik niet open.'

Balancerend op de trap stonden ze tegen het zware luik te duwen. Langzaam, heel langzaam kwam er wat beweging in. Het eerste streepje daglicht werd zichtbaar en dat gaf nieuwe energie.

Plotseling sprong het luik open en het felle daglicht verblindde Dio en Aine.

Een voor een kropen ze de ijskelder in en lieten hun ogen aan het licht wennen.

Dio keek op zijn horloge. Hij zag de wijzer terug in de tijd lopen. Toen de wijzers bij 7 seconden over 6 waren aangekomen, gingen ze weer vooruit lopen. Dio snapte er niets van.

'We zijn terug, we zijn terug in onze eigen wereld,' zongen Dio en Aine en ze maakten een vreugdedansje in de ijskelder. De zomeravondlucht vulde hun longen en een kruidige bloemengeur prikkelde hun neus.

'Ik hoor weer vogels zingen,' zei Aine.

'Kom, we gaan naar huis. Ze zullen ons wel zoeken.'

Behendig wurmden Dio en Aine zich tussen de tralies door. Eindelijk voelden ze de warme avondzon op hun gezicht. Aine sloot even haar ogen om van de zon te genieten.

'Aine, kijk eens wat er is gebeurd,' zei Dio.

Hij opende zijn hand, waar in plaats van het PENTIUM alleen Aine's ring en Dio's vijfpuntige amulet te zien waren. Het PENTIUM was uit elkaar gevallen.

'Geef mijn ring maar terug, Dio. We hebben het PENTIUM nu toch niet meer nodig.'

Aine hing de magische Keltische ring weer aan de ketting om haar hals.

Toen renden ze park uit naar hun vertrouwde straat.

'Wat zullen mijn vader en moeder blij zijn dat ik terug ben. Er liggen vast verjaardagscadeaus klaar.'

'We zien elkaar straks nog wel,' riep Dio en hij liep naar zijn eigen huis.

Vader Jaap en moeder Marleen zaten aan tafel. Vorken en messen kletterden op de borden, maar tot Dio's verbazing stond er niemand op.

'Waar zat je?' vroeg Jaap. 'Je weet dat we altijd stipt om zes uur eten.'

Tranen schoten Dio in zijn ogen. Op zo'n kille ontvangst had hij niet gerekend.

'In het Rijk van Wijsheid.'

Jaap keek op van zijn bord. 'Wat zeg je nou?'

'We komen uit het Rijk van Wijsheid,' antwoordde Dio opnieuw met grote moeite. Zeven dagen en zeven nachten was hij verdwenen en zijn ouders deden of er niets aan de hand was.

'Leuk. Dat is zeker een nieuw spel? Maar je bent toch echt te laat voor het eten, Dio. Geen tv voor jou vanavond.'

Nu werd het Dio te veel. Hij had bijna zijn leven gegeven om de wetten van de wijsheid te vinden en hij had gevochten met het ultieme kwaad.

'Hebben jullie me dan niet gemist?' vroeg Dio.

Marleen stond op en sloeg haar arm om Dio heen.

'Wat is er allemaal gebeurd?' vroeg ze zacht.

'Ik heb met Azazel gevochten,' snikte Dio.

'Is dat een nieuwe jongen uit je klas?'

'Nee mam, dat is de heerser van het Rijk van de Dolende Geesten.'

'Nu is het afgelopen, Dio,' riep Jaap uit, terwijl hij opstond. 'Hou eens op met die flauwekul. Het is gewoon een smoes voor het te laat aan tafel komen.'

Dio snikte nog harder.

'Ben ik zeven dagen weggeweest en dan doen jullie zo flauw.'

'Ik begrijp er helemaal niets meer van,' bromde Jaap. 'Hoezo zeven dagen weg?'

'Vertel mij maar wat er is gebeurd,' zei Marleen en ze gaf Dio een zacht kneepje in zijn wang.

'Mam, ik ben via de ijskelder in het park in het ondergrondse Rijk van Wijsheid geweest. Ik heb de Zonnetempel gezien, het Hatorrijk en Vrektown. Ik ben in Applesoft geweest en in het Rijk van het Dromenvolk. Ik heb Aine's vriendinnetje Julie ontmoet in Genius Valley en ik heb na zeven dagen en zeven minuten Azazel, de heerser van het kwaad, verslagen.

'Zeven dagen kan echt niet. Vanochtend zat je hier nog aan het ontbijt.'

'Maar mam, het is echt waar. Vanochtend was ik niet hier, maar in Genius Valley.'

'Heb je niet zitten dagdromen?'

'Nee mam, ik heb de zeven wetten van de wijsheid geleerd. Kijk maar. Ik heb ze op een stuk perkament geschreven.'

Dio voelde in de binnenzak van zijn jack en daarna in al zijn zakken, maar er was geen perkament te bekennen.

'Zeker verloren tijdens mijn gevecht met Azazel,' mompelde Dio. Hij herinnerde zich iets anders.

'Ik ben door een weermol gewond geraakt aan mijn arm.'

'Door een wát?' riep Jaap Stijfpoot geïrriteerd.

'Een weermol, pap, kijk maar.'

Dio stroopte de mouw van zijn rechterarm op. Tot zijn afschuw zag hij dat er niets meer van de snijwond te zien was.

'Dio, hou op met je flauwe smoesjes.'

'Jaap, wil jij straks na het eten even naar de ijskelder fietsen?' vroeg Marleen zacht.

'Straks. Dio, doe je jack uit en kom aan tafel.'

'Ik sprak vanmiddag Aine's moeder,' zei Marleen om een ander onderwerp aan te snijden. 'Je bent dinsdagmiddag op haar verjaardag uitgenodigd.'

'Aine is al jarig geweest. Toen zaten we in Cubedal,' mompelde Dio.

'Dio, hou op met die onzin. Het is nu leuk genoeg geweest.'

Met tegenzin stapte vader Stijfpoot na het eten op de fiets om de ijskelder in het park te inspecteren. Bij de ijskelder was niets bijzonders te zien. Geen openstaand luik of iets wat op een tunnel leek. Geen sporen van recente graafwerkzaamheden. Alleen rechts in de hoek lag half zichtbaar een rol papier. Zou dat de rol perkament zijn? Jaap schudde zijn hoofd. Hij haalde zijn schouders op en fietste weer terug naar huis.

'Dat kan niet,' mompelde Dio, toen zijn vader verslag uitbracht. Maar hij was slim genoeg om dat niet hardop tegen zijn vader te zeggen.

'Het is een vreemd verhaal,' zei zijn vader. 'Je hebt waarschijnlijk gedroomd.'

'Het is geen droom,' schreeuwde Dio. Hij rende naar zijn kamer en ging op zijn bed liggen.

Stel je voor dat zijn vader gelijk had, dat het allemaal niet was gebeurd. Dan was het kwaad nog niet verslagen en hadden hij en Aine alles voor niets gedaan.

Morgenochtend zou hij zodra hij wakker was naar Aine gaan.

Er klonk gestommel op de trap. De deur kraakte en zijn moeder stak haar hoofd om de deur.

'Gaat het een beetje,' vroeg ze terwijl ze op de rand van zijn bed ging zitten.

Dio vertelde over Scully en over wat voor mannetjes de Hators precies waren. Hij vertelde over Spocks en het Rijk van de Dolende Geesten, over het gevecht met Azazel en de ontsnapping aan de weermol. Hij vertelde over Applesoft en hoe ze een briefkaart vanuit Bhutan naar huis hadden gestuurd om te laten weten dat alles goed ging.

'Die zat vanochtend bij de post,' zei Marleen. 'Ik snapte er al niets van.'

‘Dus toch,’ zei Dio, terwijl hij overeind veerde.

‘Misschien,’ antwoordde Marleen.

‘Maar hoe kan het dan dat mijn reis zeven dagen en zeven minuten duurde, terwijl ik hier vanochtend nog ontbeten heb?’ vroeg Dio. ‘Ik kan toch niet op twee plaatsen tegelijk zijn.’

‘Misschien gaat de tijd onder de grond sneller. Misschien duurt een dag daar net zo lang als een uur hier op aarde,’ suggereerde Marleen.

Dio knikte langzaam. Het zou kunnen.

‘Vraag het morgenochtend maar aan Aine. Nu lekker slapen!’

Marleen stond op en gaf Dio een kus. Haar gevoel zei haar dat Dio de waarheid sprak, maar ze durfde er die avond niet meer met Jaap over te praten.

Dio viel snel in slaap. Toen hij een paar uur geslapen had, verscheen het opperhoofd van de Ibutsi-indianen in zijn droom.

‘Dio, word wakker. Ga naar het raam en kijk omhoog, kijk naar de waarheid.’

Dio liep slaapdronken naar het raam en schoof zijn gordijnen weg. Daar, hoog aan de heldere hemel, tussen de sterren, was een nieuwe planeet zichtbaar met zeven manen die eromheen cirkelden.

‘Ik wist het wel,’ riep Dio.

De werelden uit het Rijk van Wijsheid hadden hun nieuwe bestemming gevonden. Terwijl Dio naar de nieuwe planeet keek, hoorde hij een stem.

'Ik ben Xena, de planeet van wijsheid,
Waar het altijd vrede is en waar niemand oorlog kent.
Ik ben de lente die de wereld van haar donkere
winteravonden bevrijdt,
Bij mij is honger, leed, of zelfzuchtigheid onbekend.
Ik ben Xena, een planeet vol spelende kinderen,
Die simpelweg houden van elkaar.
Zonder ruzie te maken, elkaar te slaan of te hinderen.
Ik ben geen droomplaneet, maar werkelijk waar...

Game over. Delete.'

Het was onmiskenbaar de stem van Kyle.

Bijlage

Kinderen en oorlog kunnen niet samen!

'In "Dio en de sleutel van zeven wijsheden" wordt duidelijk hoe belangrijk ontwikkeling, creativiteit en fantasie zijn voor kinderen. En omdat dit zo belangrijk is, besluit ik (Mick) met de opbrengsten van dit boek kinderen te helpen die het minder goed hebben.'

In Sierra Leone was er 10 jaar lang oorlog. Rebellen vochten tegen de regering omdat ze de macht wilden hebben over de diamantmijnen in het land. De helft van de bevolking sloeg op de vlucht. Ongeveer vijftigduizend mensen zijn gedood tijdens de oorlog. Heel veel mensen zijn gewond geraakt of gehandicapt geraakt. Duizenden kinderen werden gedwongen om als kindsoldaat mee te doen aan de strijd. De meeste vluchtelingen zijn weer thuis. En de vroegere kindsoldaten ook. Sommige kindsoldaten wisten niet meer waar hun familie was. Of hun familie was niet meer in leven. Die kinderen zijn bij pleeggezinnen gaan wonen. Sierra Leone is een heel arm land. De mensen zijn bezig om het land weer op te bouwen.

Omdat de kinderen in Sierra Leone zoveel ellende in de oorlog hebben meegemaakt, is het belangrijk dat ze goede zorg en steun krijgen van volwassenen. War Child helpt hele dorpen of buurten om de zorg en opvang voor kinderen te verbeteren. Bijna iedereen werkt daaraan mee. Samen met War Child leggen ze bijvoorbeeld een speelveld aan of organiseren ze activiteiten voor kinderen. En ook praten leraren en ouders samen over de problemen van de kinderen.

Abu is vijf jaar en woont in Sierra Leone. Zijn vader is dood; tijdens de oorlog vermoord door rebellen. Samen met zijn moeder, broertjes, zusje en stiefvader woont hij in een speciaal kamp voor mensen die in de oorlog een arm of been zijn kwijtgeraakt.

Abu vertelt: "Toen mijn vader werd neergeschoten had hij mij in zijn armen, waarbij ik in mijn been ben geraakt. Daarom heb ik nu maar één heel been en één half been. Maar met mijn krukken kan ik nog wel rondlopen en naar school gaan.

Soms ben ik verdrietig. Verdrietig omdat ik maar één been heb en omdat mijn vader dood is. Ik wil mijn moeder in de buurt houden omdat ik bang ben dat ik haar ook kwijtraak. Op sommige dagen doet mijn been heel pijn en dan ben ik boos, boos op de oorlog.

De laatste tijd speel ik voetbal met de andere kinderen en mensen van War Child. Dat vind ik pas leuk om te doen. Dan ben ik niet meer zo boos en voel ik me weer blij..

Jij kunt Abu in Sierra Leone helpen vanaf € 5,00 per maand. Maak dan een kopie van het formulier op pagina 207 en stuur dat naar War Child.

Wil jij net als Mick in actie komen voor Abu en alle andere oorlogskinderen in Sierra Leone? Dat kan! Je kunt je eigen actie organiseren. Op pagina 206 staat een aantal voorbeelden van dingen die je kunt doen:

- zelf ansichtkaarten, kerstkaarten of tekeningen maken en die verkopen
- een eigen toneel-, dans- of muziekvoorstelling of poppenkast voor je ouders, familie of mensen uit de buurt opvoeren waar je entreegeld voor vraagt
- je eigen taart of koekjes bakken en verkopen
- een 'heitje voor een karweitje' doen
- lege flessen ophalen in de buurt en het statiegeld innen
- meedoen aan de avondvierdaagse en je laten sponsoren per gelopen kilometer

Wil je een actie doen? Mail dan naar actie@warchild.nl om deze aan te melden.

Meer informatie over War Child en Sierra Leone vind je op www.warchild.nl en www.kidsforwarchild.nl

Redactie: Syl van Duin
Eindredactie: Laura van Campenhout en United Media Company
Omslagontwerp: Marjolein Hund, Amsterdam
Zetwerk: V3-Services, Baarn
Druk: FINIDR, s.r.o., Český Těšín, Tsjechië
Tweede druk juni 2007

ISBN 978 90 8669 037 4
NUR 283

Verspreiding in België via Van Halewyck, Diestsesteenweg 71a, 3010 Leuven, België.
www.vanhalewyck.be

Een uitgave van:
United Media Company
Baarnsche Dijk 19
3741 LP Baarn
Tel.: +31 (0)35 548 20 99
Fax.: +31 (0)35 548 20 98
Mail: info@unitedmediacompany.nl
www.unitedmediacompany.nl

United Media Company
cross media branding and publishing